LES NOUVEAUX MAÎTRES
DE LA CHINE

JEAN DAUBIER

LES NOUVEAUX MAÎTRES DE LA CHINE

BERNARD GRASSET

PARIS

ꞌ

AVANT-PROPOS

L'auteur de ce livre aime beaucoup la Chine et son peuple. Pendant un temps, il a éprouvé de la sympathie pour son régime politique et, dans ses écrits et ses conférences, il l'a souvent présenté sous un jour favorable. Longtemps ses défauts, ses tares même lui ont paru, sinon négligeables, du moins inférieurs à ses mérites. La révolution de 1949 a donné naissance à un système politique et social qui a réussi, dans une importante mesure, à alléger la misère séculaire des Chinois et à effacer de nombreuses humiliations nationales. Qu'il faille en acquitter le prix par le sacrifice des libertés, c'est ce que trop de gens, trop souvent, croient possible d'admettre, fût-ce à regret.

La Chine d'aujourd'hui vit sous le poids d'une organisation capable de gravement réduire les manifestations de dissidence, d'individualisme, d'autonomie personnelle, et dont l'efficacité sous ce rapport est largement méconnue. Libertés, droits de l'homme, longtemps l'auteur a cru que ces mots exprimaient une morale de luxe, que le tiers monde ne pouvait s'offrir. Une fois la contrainte acceptée dans son principe, la sensibilité bat en retraite devant la dialectique : les crises, les excès, les débordements de toute sorte qui ont marqué la vie chinoise ces dernières années apparaissaient comme des accidents de l'histoire, des inconvénients temporaires destinés à s'effacer devant l'instauration d'une société plus juste, plus pure.

Notre pâle raison nous cache l'infini, disait Rimbaud ; rationaliser les fureurs du siècle est aussi vain que dérisoire. La réalité survit toujours à l'imposture. Il reste que l'auteur s'est trompé. D'autres ont été trompés, le sont encore parfois. Nous sommes l'étoffe dont on fait les rêves, et chacun s'efforce de tourner ses songes en réalités. Là débute la tragédie. En quelques décennies, de Hitler à Lin Piao en passant par Staline pour échouer au Cambodge, l'Histoire a viré au cauchemar. Nous avons appris que la chimère est un monstre. Mais la passion du leurre est si forte que pour un temps on a pu reporter sur la Chine toutes les aspirations trahies, tous les espoirs fanés, tous les mythes.

Aujourd'hui, les nouveaux maîtres de la République populaire s'efforcent de lui composer un visage neuf. D'aucuns nous présentent déjà ce vieil homme d'appareil qu'est Teng Siao-ping comme un « libéral ». A l'heure où le pays s'ouvre sur le monde extérieur, à l'heure de l'apaisement, on peut s'attendre à voir refleurir les louanges de ce socialisme, d'autant plus « attrayant » qu'il mobilisera à son service toutes les ressources de l'exotisme.

Apprendre la Chine est long et difficile, on n'y parvient pas sans sinuosités et méandres de toutes sortes. Au terme de l'expérience, hélas, on ne découvre rien qui adoucisse le pessimisme. Au fil des ans, le régime chinois s'est révélé intrinsèquement et non occasionnellement répressif. Ses défectuosités, ses démences sont le produit direct de son idéologie et de ses structures. Mao Tsé-toung et Chou En-laï étaient de trop grands hommes et cette vérité, ils la couvraient de leur ombre.

Leurs successeurs n'ont pas leur stature, loin s'en faut, mais ils ont hérité d'un capital de prestige et de « compréhension » aussi surfait que mal employé. Ainsi leur gouvernement a pu en deux ans faire fusiller plusieurs dizaines de personnes sans susciter dans l'opinion mondiale le dixième des légitimes réactions que soulevait simultanément la répression en Tchécoslovaquie ou au Chili.

Il n'y a pas de bon socialisme. Il n'y a pas non plus de bonne société, encore que des distinctions soient possibles et nécessaires. Ne plus croire aux vertus du socialisme, ce n'est pas s'accommoder de l'exploitation du tiers monde, ni se résigner à l'injustice, ni se rallier à Washington, comme le suggèrent sans légèreté d'anciens philosophes. Qu'ils se rassurent ! Priorité aux droits de l'homme partout : cela suffit pour entrer en conflit avec toutes les stratégies, toutes les diplomaties, tous les pouvoirs.

Le dessous des cartes.

Les mondes communistes se cachent. Tout a été dit et bien dit sur l'impossibilité d'y circuler librement, sur leurs statistiques truquées, fragmentaires ou absentes, sur leur propagande envahissante et l'image en trompe l'œil qu'ils s'efforcent de donner d'eux-mêmes.

La Chine n'échappe pas à cette règle et, pour

prendre un exemple, sa presse centrale est soigneusement expurgée d'informations précises et surtout
chiffrées, et ses journaux régionaux, plus riches en
données concrètes et en faits divers, sont tout
simplement interdits à l'exportation.

Il existe heureusement de larges failles dans ce
système. Aujourd'hui, pour des raisons de politique
internationale, le pays s'ouvre à des échanges plus
vastes, à des délégations plus nombreuses, et des
circuits plus diversifiés s'organisent. De tout temps,
d'ailleurs, même aux périodes les plus « isolation-
nistes » de la décennie écoulée, des étrangers ont
résidé dans les grandes villes : étudiants, experts,
traducteurs sous contrat. Ils ont souvent apporté
d'intéressants témoignages vécus sur les événements
en cours.

Les services de renseignements américains et nationalistes publient d'importants documents intérieurs
du parti communiste chinois, dont l'authenticité, quoi
qu'on ait pu dire à ce sujet [1], a été maintes fois
confirmée.

Les enregistrements des émissions de radio régionales sont également très instructifs, et les journaux
de Hong Kong abondent en nouvelles passionnantes.
Ajoutons que la Révolution culturelle, en boulever-
sant les structures administratives et en suscitant une
floraison de journaux et de tracts sans précédent, a
livré une riche masse d'indications à tous ceux qui
étudient l'évolution de la République populaire. On
connaît bien aujourd'hui les mécanismes profonds et
les ressorts intimes de la vie politique chinoise.

L'auteur a vécu à Pékin pendant la Révolution

---

1. Y compris à une époque l'auteur de ces lignes.

culturelle, et cette expérience essentielle lui a permis de connaître de l'intérieur le fonctionnement des institutions ainsi que la mentalité de la population et des cadres. La politique chinoise s'ordonne selon des normes, des rites même, qui échappent au profane et au visiteur pressé mais pas à l'observateur permanent. Il faut savoir par exemple que la presse officielle est rédigée selon une sorte de code grâce auquel les communistes communiquent à deux niveaux : entre eux et avec la population. Ce qui semble un simple jargon répétitif au non-initié est parfaitement éclairant pour les gens du cercle intérieur et les milieux les plus politisés et les plus cultivés qui savent interpréter les signaux des médias. Un journal doit se lire comme une instruction chiffrée où toute une accumulation de petits détails — la disposition des titres et des paragraphes, le nombre et le choix des citations, ce qui est omis autant que ce qui est dit — permet au renseigné de se faire une juste idée de la toute dernière ligne générale et des conflits de tendances qui accompagnent sa mise au point. Dès lors que la clef est connue, cette presse, une fois décryptée[2], devient une riche source d'information, et son étude permet de reconstituer bien des phases de la politique intérieure.

J. D., Paris, automne 1978.

---

2. Deux règles méthodologiques simples mais impératives doivent s'appliquer aux études chinoises : la première est de ne jamais accorder un complet crédit à la propagande officielle, la seconde de ne pas la traiter pour autant comme un simple déguisement de la réalité, mais aussi bien comme la transposition, sur un mode idéologique et surréel, de problèmes concrets et de contradictions authentiques.

PREMIÈRE PARTIE

QUELQUES TRAITS MÉCONNUS DE LA SOCIÉTÉ CHINOISE ACTUELLE

CHAPITRE PREMIER

UNE NOUVELLE MÉTHODE DE GOUVERNEMENT : LA RÉFORME DE LA PENSÉE

Le parti et le peuple.

Si l'on veut comprendre quoi que ce soit à la Chine d'aujourd'hui, il faut se garder de croire qu'il y ait divorce complet entre le régime et la population. Certes, l'atmosphère au cours des dix dernières années a été souvent violente, diverses chasses aux sorcières se sont succédé et le sang a coulé plus d'une fois. Ces dures épreuves, ces crises multiples ont passablement accru la proportion de Chinois sceptiques et attentistes. Certaines oppositions se sont durcies, un effondrement des valeurs et de la discipline s'est fait sentir. Pourtant il n'y aurait pas d'erreur plus grave que d'imaginer la Chine comme une espèce de démocratie populaire européenne où les dirigeants agissent et discourent devant une population apathique et méprisante. Le parti communiste chinois jouit encore d'un capital de prestige important; le rétablissement opéré après la chute des « quatre » en octobre 1976[1], la perspective d'un essor économique, d'une élévation du niveau de vie et d'un retour à

---

1. Voir chapitre II, p. 45.

l'ordre ont, au moins provisoirement, consolidé ce sentiment.

Certes, l'auteur, qui a visité ce pays à plusieurs années d'intervalle, a pu mesurer l'indiscutable désaffection des intellectuels à l'égard de la politique officielle. D'une manière générale, aujourd'hui, les Chinois paraissent nettement moins enthousiastes que pendant les premières années de la Révolution culturelle. Il existait alors une énorme ardeur contestataire qu'avivait l'espoir d'édifier un socialisme débarrassé des bureaucrates. Les témoins des gigantesques rassemblements de 1966 sur la place Tien-an-Men, où Mao Tsé-toung passait en revue les Gardes rouges, ont pu mesurer la ferveur allègre qui soulevait ces foules et l'immense popularité du président disparu. Depuis, les affrontements armés, les luttes de clans au sommet, les intrigues de palais, les politiques contradictoires, les épurations souvent brutales et meurtrières ont terni bien des espoirs, abîmé bien des talents, courbé bien des âmes. Parmi ceux qui s'enflammaient à l'époque, combien aujourd'hui sont morts, emprisonnés ou simplement réduits au silence? En repensant à l'histoire de la décennie écoulée, le cœur se serre à imaginer le destin de nombre de ces jeunes gens, dont beaucoup entraient à peine dans l'adolescence. 1968 surtout fut une année terrible. Lorsque Lin Piao enserra la Chine dans le corset de fer du pouvoir militaire[2], nul doute que le régime n'ait divorcé d'une bonne fraction de sa jeunesse : départs à la campagne, organisations démantelées, autocritiques, fuites dans les maquis ou à Hong Kong, tel fut le lot de cette génération gâchée.

---

2. Voir chapitre III, p. 83.

Pourtant, il ne faudrait pas croire que le régime a épuisé son crédit auprès de la population; il en est loin.

Le passé de la Chine l'explique. Les survivants de l'ancienne société sont encore très nombreux et leur influence s'exerce avec force. L'abîme de misère où se trouvait le pays fait apparaître plus douce, par contraste, la situation d'aujourd'hui. Faut-il qu'il ait été détestable, ce passé! En général, le public occidental n'ignore pas la somme de fléaux qui accablaient l'ex-empire du Milieu : paupérisme, maladies, famines. Contentons-nous de dire que cette époque fait encore l'objet d'évocations fréquentes, lors de séances d'éducation de la jeunesse qu'on appelle parfois « les sessions d'amertume ». Des paysans ou des ouvriers viennent dire aux foules rassemblées ce qu'était la vie autrefois. On ne peut entendre ces récits sans en être à jamais bouleversé. Ces sobres narrations entament souvent la traditionnelle maîtrise d'eux-mêmes propre aux Chinois, et il n'est pas rare que les orateurs éclatent en sanglots, imités par une grande partie de l'assistance. Il ne faut pas se représenter ces scènes comme des manifestations de défoulement ou de semi-hystérie collective. Elles sont d'une grande simplicité, d'une grande dignité qui donnent toute leur force à ces récits poignants où revivent toute la misère, toute l'humiliation d'un peuple. La faim, les brimades, le désespoir forment la toile de fond des pauvres vies évoquées et au terme de ces réunions l'on comprend que, pour ceux qui s'expriment, 1949 fut bien une libération. Lorsque le paysan pauvre ou le mendiant de jadis achève de parler et descend de la tribune, le visage baigné de larmes, après avoir exprimé sa foi dans le parti et le président, rares sont ceux qui peuvent demeurer indifférents à cette émotion. Les jeunes la partagent souvent et ils croient sans difficulté à « la supériorité du régime socialiste », malgré les réserves croissantes, il est vrai, de beaucoup d'entre eux. Le déclenchement de la Révolution culturelle en 1966 n'eût pas été possible autrement.

Ajoutons que les Chinois de toutes les générations reconnaissent à ce système, malgré ses démences et ses tares, un mérite : il a fait renaître la nation chinoise. Opprimée, humiliée par les puissances étrangères, occupée par les Japonais, la Chine, jadis faible et souvent désarmée, est maintenant grande et puissante. Entre ce peuple, le plus homogène de la terre, le plus anciennement civilisé, un des plus inventifs, et ce régime, des liens existent qui restent étroits.

Bien sûr, il y a ceux qui fuient à Hong Kong et ceux, plus nombreux encore, qui voudraient le faire. Il y a ces intellectuels désabusés, ces esprits courbés par la propagande, cette culture plusieurs fois millénaire à demi étouffée ; il y a ces campagnes parfois sanglantes de 1950, de 1957, de 1968, ces fusillés nombreux en février et mars 1977 ; il y a ces ouvriers qui travaillent trop, ces paysans qui voudraient des terres. Qu'on ne s'y trompe pas. « Seul le socialisme peut sauver la Chine », disait Mao ; beaucoup de Chinois le croient aussi.

Rien n'aurait donc changé dans la conscience de ce peuple après trente années ? Bien sûr que si. Au travers des difficultés, des campagnes répétitives, des règlements de compte au sommet, des crises, les citoyens ont pris l'habitude grandissante de se méfier des proclamations idéologiques. La doctrine maoïste n'est plus à leurs yeux un guide pour l'action, mais une sorte de code social auquel on doit se référer et déférer, cette adhésion devenant de plus en plus verbale. Ce statut dévalué rend l'idéologie inapte à jouer son rôle mobilisateur. Il sera difficile d'enflammer les foules, à l'avenir, pour ces idéaux désormais défraîchis que sont la réalisation du communisme et la création d'un homme nouveau. Les vastes campagnes populaires, les grands mouvements de masse pourraient bien appartenir au passé.

La réforme de la pensée.

La crise de l'idéologie aura des conséquences sur tout le fonctionnement du régime et tout particulièrement sur ce qu'on appelle la réforme de la pensée, *hsiutsiang kaïtsao,* trait caractéristique du socialisme chinois. Si l'on veut comprendre la Chine, il faut connaître ce système sur lequel repose toute l'organisation de la République populaire depuis 1949.

On parle peu de la réforme de la pensée, cet apport capital à la technologie de la domination étatique. Ceux-là mêmes qui se sont donné pour but de dénoncer le régime maoïste n'ont guère apporté d'éléments d'analyse et d'information à ce sujet, alors qu'il s'agit d'une de ses méthodes essentielles et qu'elle marque toutes ses activités. C'est le moyen le plus puissant jamais mis au point pour casser la contestation et stimuler le zèle et le labeur des masses.

La réforme de la pensée se pratique à tous les échelons, dans toutes les unités de travail, les écoles, les usines, les communes populaires et les administrations. Partout s'organisent des séances d'étude au cours desquelles le parti s'efforce de remodeler la psychologie des citoyens selon l'idéologie d'État. La chose, dira-t-on, n'est pas propre au socialisme chinois. Tous les partis communistes au pouvoir diffusent une propagande dont ils monopolisent l'exercice, dans le but de convaincre les peuples de la justesse de leur politique. Mais en Chine, la particularité vient de ce que l'objectif n'est pas seulement d'obtenir l'adhésion au régime mais de faire acquérir à chacun la vision marxiste du monde, de transformer les pensées. Il ne s'agit plus seulement de limiter le nombre des opposants, mais de tarir à la source toute opposition. Pour cela, le parti communiste a mis au point des procédés d'une efficacité incontestable, supérieurs à tout ce qui peut se pratiquer dans les autres Républiques marxistes. Il veut unifier l'idéologie de toute la population.

La méthode est transposable ailleurs [3] et constitue une formidable menace potentielle pour toute société pluraliste. Aucun livre sur la Chine ne devrait se dispenser de faire connaître ce système et de l'analyser. Il est, répétons-le, à la base de tout le fonctionnement du régime. En fait, peu d'auteurs paraissent même en soupçonner l'existence. Jamais dans l'histoire un régime totalitaire n'a disposé d'une arme aussi redoutable. Hitler et Staline ont usé de la violence à une échelle sans précédent et il n'est pas besoin de rappeler l'étendue de leurs méfaits. Mais il existe des méthodes plus subtiles que les leurs. Sans d'ailleurs exclure la violence, elles permettent de conquérir les esprits, de les briser, de les tendre en permanence vers la soumission et le consentement. Dans ce système, Soljenitsyne n'aurait pu écrire ses

---

3. Elle est mise en pratique, avec des variantes locales, au Vietnam et en Corée du Nord.

livres. Bien des dissidents y sont contraints non seulement à se taire, mais à penser comme leurs bourreaux et à les approuver. Le camp de concentration, dit-on, est l'invention du XXᵉ siècle : la réforme de la pensée pourrait bien lui ravir la première place. Elle évite la multiplication des prisons, désormais réservées aux cas vraiment irréductibles. C'est la société tout entière qui devient un camp où la contrainte et la force brutale sont secondées et souvent avantageusement remplacées par l'endoctrinement.

Endoctrinement : le mot est important ; éduquer, réformer, disent les communistes chinois. Aux visiteurs étrangers on montre souvent des prisonniers dans leurs cellules ou leurs ateliers pénitentiaires : voleurs, assassins, anciens criminels de guerre, dignitaires rescapés de l'ancien régime, tous affirment avec conviction et, semble-t-il, spontanéité, leur adhésion à la politique du parti et du gouvernement. Dans les années 50, on vit arriver à Hong Kong des prêtres expulsés par les autorités de Pékin après une détention plus ou moins longue. Ils expliquaient, comme hallucinés, qu'ils avaient dû abjurer leurs pensées apparemment les plus enracinées et donner leur soutien aux idéaux des nouveaux maîtres, cela sans torture, par un mélange de contrainte et de persuasion effrayant de simplicité, d'efficacité et de mystère. Lavage de cerveau : *xi nao,* en chinois.

Pendant les années de la Révolution culturelle qu'il a passées en Chine, l'auteur a vu plus d'une fois des cadres ou de simples citoyens, antimaoïstes avérés ou prétendus, confesser publiquement leurs erreurs, s'accuser des pires crimes, demander leur propre châtiment et proclamer bien haut leur conversion au nouveau cours. Les prisons chinoises regorgent de déviants de toute sorte qui n'en finissent pas de s'autodénoncer. « Vous devez vous débarrasser de vos mauvaises pensées », dit-on aux accusés dans les réunions. Et on les voit en effet se reprocher leur noirceur et jurer de mieux servir le régime qui les humilie. Quelle est cette méthode capable de transformer des opposants en thuriféraires[4]? Peut-on durablement modifier les convictions d'un homme, et comment? Les gens qui avouent sont-ils sincères? La réforme de la pensée réussit-elle toujours? Repose-t-elle sur l'usage de drogues, de la force, de la persuasion ou sur la combinaison des trois? Comment y résister?

Le « lavage de cerveau » pose de nombreux problèmes qu'il n'est pas possible d'aborder ici sous tous leurs aspects. Nous nous contenterons d'en décrire le processus, d'en expliquer le ressort caché et aussi le vice fondamental, en prenant comme premier exemple ce qui se passe dans les prisons.

De la prison comme école.

Délinquants de droit commun et prisonniers politiques se mêlent dans les prisons mais, à la différence

4. Les témoignages existent : citons, outre celui de Jean Pasqualini (*Prisonnier de Mao*, Gallimard, 1975), le *Livre blanc sur le travail forcé en Chine populaire* (Commission internationale sur le régime concentrationnaire, Paris, 1956), le livre d'Edgar Snow (*Red China Today*, Pelican Books, 1970), celui de Allyn et Adele Rickett (*Prisoners of Liberation*, Doubleday Anchor Books, 1973). Ajoutons une brochure d'Amnesty International, *Political Emprisonment in the People's Republic of China*, Amnesty International Publications, 1978. L'étude la plus complète est celle de Robert Jay Lifton, *Thought Reform, the Psychology of Totalism*, Pelican Books, 1967.

de ce qui se passe ailleurs, l'administration carcérale n'utilise pas les premiers pour faire pression sur les seconds. La rigoureuse égalité des détenus, quelle que soit l'origine de leur faute, découle du statut que leur assigne l'idéologie dominante : leur activité nuit au socialisme, ils appartiennent tous aux « catégories noires [5] ». Ce point est important : les gens arrêtés ne seront pas classés selon les forfaits qu'ils ont réellement ou prétendument commis, mais d'après le niveau qu'ils atteignent dans l'étude idéologique. Car la cellule est une école. Elle n'a nullement pour but de maintenir enfermé un homme dangereux, en exécution d'une peine qui se suffirait en quelque sorte à elle-même. La prison est en Chine le plus souvent un lieu de transit. On y interroge les prisonniers, au cours de leur instruction, et on les rééduque. L'interrogatoire achevé, l'instruction terminée, la condamnation prononcée, le détenu se voit affecté pour un certain nombre d'années à la réforme par le travail manuel, *laokaï*. Il participera à la production pour le plus grand avantage économique du régime. La réforme s'effectue dans des fermes d'État spéciales, parfois des usines ou de simples communes populaires (où la main-d'œuvre libre et la main-d'œuvre détenue sont mêlées, la première surveillant la seconde). Ces fermes d'État sont souvent appelées des camps de travail à l'étranger, ce qui est légitime puisqu'il s'agit d'un espace concentrationnaire gardé. Nous verrons pourtant qu'il y a des différences avec les camps soviétiques.

La personne arrêtée et interrogée doit avouer la faute qui lui est reprochée. C'est le point de départ.

5. Voir chapitre II, p. 56.

Elle doit ensuite admettre la justesse du point de vue des communistes chinois et le bien-fondé de sa condamnation. Les autorités parviennent à ce résultat remarquable que les détenus quittent la prison pour le camp, convaincus non seulement de leur infamie personnelle, mais aussi de la nécessité de se racheter par un travail ardent en faveur du socialisme. Dans la plupart des cas, cette conversion n'est pas formelle et constitue pour les intéressés une puissante motivation.

Le captif, dès son arrestation, se voit sommé d'avouer des crimes généralement sans rapport avec l'idée qu'il se fait de sa propre activité. S'il résiste à l'accusation, cas évidemment fréquent, une certaine pression physique s'exerce sur lui : port de chaînes, privation de sommeil et de nourriture. On sait qu'il se produit ainsi un état de confusion qui, avec le temps et une certaine insistance, finit par briser les personnalités les plus robustes et permet d'arracher de fantastiques aveux. Jusqu'ici, rien de bien différent des méthodes décrites par Arthur London dans *l'Aveu*. Pourtant ces moyens, s'ils conduisent à la confession par lassitude, ne produisent pas la *conversion* du sujet. London, son procès terminé, ses aveux prononcés, redevient peu à peu l'homme qu'il était auparavant et peut revoir tout ce qui lui est arrivé avec un esprit critique renouvelé. C'est justement ce qui est impossible dans le système chinois. Un solide cliquet empêche tout retour à l'état antérieur à la réforme : celle-ci ne finit qu'avec la mort ou la sortie du territoire.

Arthur London et la police politique tchèque (et soviétique : puisque l'U.R.S.S. dépêchait pour ce travail des spécialistes qui en assuraient la direction) étaient face à face et aucun tiers n'intervenait dans leur

dialogue. En Chine, il y a des gardes et des interrogateurs, certes, mais l'essentiel de la conversion du prisonnier se fait dans la cellule même, au milieu d'autres
personnes incarcérées. Alors que les Soviétiques
isolent leur victime du monde extérieur, allant jusqu'à
clouer des planches aux fenêtres et à lui bander les
yeux pour la placer en état de privation sensorielle,
l'autorité pénitentiaire chinoise installe le prisonnier
au milieu d'un groupe de détenus qui vont consacrer
de longues heures à l'étude politique et idéologique.
Ces séances se déroulent sous la direction d'un moniteur qui n'est autre que l'un d'entre eux, déjà réformé.
Dans le groupe, des éléments plus ou moins « avancés »
le secondent et font des rapports aux gardiens sur
l'attitude et l'évolution individuelle de chacun. Tout
refus de participer, toute résistance entraîne un regain
de contrainte : chaînes, interrogatoires. Les récalcitrants sont évidemment peu nombreux. Quelqu'un
refuse-t-il d'avouer, le groupe fait cercle autour de lui
pour le *tosheng,* la lutte : insultes hurlées aux oreilles,
bourrades, crachats. Cette forme d'ostracisme très
débilitante, renouvelée plusieurs fois de suite, mène
les plus têtus à résipiscence. Pourquoi les autres
prisonniers participent-ils à cette humiliation de l'un
des leurs, en fait dirigée contre eux-mêmes? Parce que
les autorités font comprendre à chacun que de son
comportement et de sa réforme dépend l'indulgence
qui lui sera consentie. Coopérer, jouer le jeu, *changer,*
tel est le chemin du salut pour des hommes qui sans
cela sont voués à une détention et à une humiliation
sans fin, puisque les peines prononcées sont presque
toujours très lourdes. Ajoutons qu'à chaque séance
d'étude — elles durent longtemps et sont quotidiennes
— tous les propos tenus sont notés par un scribe,

lui-même détenu, et remis aux gardiens, qui savent donc à tout moment ce qui se dit dans la cellule[6].

Le principe, tout compte fait génial, sur lequel repose le système est celui de la dysharmonie entre l'individu et le groupe. Plutôt que de priver l'homme de lumière et de sons, on le prive de repères intellectuels et logiques : il peut paraître absurde qu'on m'accuse, moi, militant communiste depuis trente ans, d'être un ennemi de la révolution, mais si je suis seul à trouver cela absurde, si autour de moi tous en sont convaincus et agissent à mon égard en conséquence, si je n'ai d'autre critère que leur attitude pour juger du vrai et du faux, alors mes convictions s'effondrent, une pensée s'insinue en moi : « Et s'il y avait du vrai dans les accusations? »

A la première agression contre l'identité du détenu succède donc sa perte d'autonomie. La combinaison d'un sentiment de culpabilité et d'une confusion artificiellement créée va amener le premier aveu, qui équivaut à une renonciation à soi-même, à ses propres références morales, au profit de celles qu'impose le groupe et qui coïncident avec celles des interrogateurs. Le moment est très délicat, car la forte angoisse induite par l'ostracisme du groupe et la perturbation logique engendrent chez le sujet la crainte obsédante d'une annihilation totale de la personnalité, suivie d'un fort état dépressif. Les maîtres du jeu doivent être attentifs. C'est la période où le sujet risque de basculer dans la folie ou d'attenter à ses jours. Aussi

6. Cela se produit d'ailleurs dans toute la société. Il n'est pas rare que les délégations étrangères repèrent au cours des entrevues un scribe chinois qui note tout ce qui se dit. Les responsables interrogés répondent alors souvent qu'il s'agit d' « un camarade qui veut apprendre les langues étrangères ».

le premier aveu est-il suivi d'une première manifestation de clémence et de douceur. On enlève les fers, la nourriture s'améliore. « Voyez comme c'est simple, changez de point de vue, adoptez le nôtre, et tout ira mieux pour vous. » Une issue s'offre au sujet, la seule : étudier, apprendre les textes marxistes, lire les grands éditoriaux des journaux pour acquérir le point de vue des maîtres, savoir ce qu'ils attendent et se conformer à cette attente pour échapper à l'étau. Devenir un autre, un homme nouveau, comme ils disent, et racheter les fautes passées, puisque fautes il y a, en acquérant des mérites. Robert Jay Lifton, psychiatre américain qui a étudié le « lavage de cerveau » en Chine, compare la contrainte et les brimades initiales à une mort symbolique, l'aveu et le désir de changer à une renaissance. C'est ainsi que le vivent les personnes soumises au *hsiutsiang kaïtsao*. On notera la similitude de ce processus avec certains rites initiatiques de sociétés secrètes qui visent au même but : créer un homme nouveau. Si une partie des méthodes utilisées par les Chinois paraît avoir été copiée chez les Soviétiques — privation de sommeil, perturbation sensorielle —, d'autres constituent leur apport particulier à la technologie de la répression et puisent sans doute leur source dans de vieilles traditions et dans de vieux rituels indigènes.

Restent les aveux définitifs. Comment vont-ils être obtenus? De manière très simple : par la mise bout à bout des confessions partielles et leur organisation dans un récit d'ensemble. C'est le travail des questionneurs de la Sécurité, qui sont des spécialistes. Comme les interrogatoires s'étendent sur de longues périodes, jusqu'à un ou deux ans, ils ont tout le temps de fignoler leur texte. Ils écartent ce qui ne correspond à aucune réalité, pour se concentrer sur des demi-vérités : vous avez écrit à telle personne se trouvant en Amérique, donc vous êtes en rapport avec des pays étrangers ; vous avez dit à telle personne que l'armée chinoise était entrée à Pékin tel jour, vous avez donc transmis à des tiers des renseignements de caractère militaire, etc. Les récits des réfugiés, des ex-prisonniers de guerre, de tous ceux qui ont été à un titre ou à un autre soumis à la réforme en Chine, au Vietnam, en Corée regorgent de semblables exemples [7].

Après les aveux et la condamnation commence le *laokaï*, réforme par le travail manuel, car l'étude seule ne saurait assurer une mutation complète. Le matériel détermine le spirituel, disent les communistes chinois, le mode d'existence détermine la conscience. La participation à la production redresse donc les idées, « prolétarise » l'esprit. L'univers des camps de concentration chinois a été décrit plusieurs fois, notamment par Jean Pasqualini. Il présente ce trait positif que les gardiens n'y sont pas corrompus et que les captifs n'y sont ni insultés, ni battus ; pour le reste, leur lot est celui de tous les forçats : labeur éreintant, nourriture maigre. Bien entendu, le *laokaï* comporte aussi une part d'étude en groupe ; les prisonniers doivent affirmer sans trêve leur zèle à servir le socialisme et à se racheter. L'adhésion proclamée par tous, détenus et gardiens, aux idéaux du régime, crée une atmo-

---

7. Nous ne prétendons certes pas qu'il n'y a que des innocents dans les prisons chinoises. Mais le vice fondamental du *hsiutsiang kaïtsao* est justement qu'il donne le pouvoir de faire avouer n'importe quoi à n'importe qui. Personne n'est à l'abri, pas même les maîtres du pays, qui demain peuvent se trouver pris dans l'engrenage et contraints d'avouer n'importe quel crime imaginaire malgré leurs états de service antérieurs.

sphère unanimiste. Par la force des choses, chacun se sent obligé de parler conformément aux mots d'ordre officiels et d'utiliser le jargon de rigueur. A force de s'exprimer par stéréotypes, les condamnés finissent par penser en stéréotypes. Ceci peut durer assez longtemps et, même arraché à ce milieu, le sujet continue un certain temps à égrener les clichés rituels. On l'a constaté chez de nombreux évadés ou expulsés ayant abouti à Hong Kong après avoir fait l'expérience de la réclusion en Chine populaire.

Qu'on n'aille pas croire, soit dit en passant, qu'à l'expiration de leur peine les détenus soumis à la réforme par le travail manuel soient libérés. Une loi publiée par *le Quotidien du peuple,* le 7 septembre 1954, prévoit qu'ils peuvent être maintenus sur place ou à proximité comme travailleurs « libres ». Un des objectifs de cette loi semble être de contribuer ainsi à peupler les zones semi-désertiques mais stratégiquement et économiquement importantes, souvent proches des frontières, où se trouvent beaucoup de colonies pénitentiaires.

Néanmoins, le maintien sur place s'applique parfois à des condamnés ayant purgé leur peine dans des régions à forte densité démographique. Le but est alors de les empêcher de propager dans le reste de la société la fraternité des camps. L'exercice généralisé de la réforme de la pensée empêche en principe l'apparition d'une sous-culture carcérale. Mais le régime pense peut-être que deux précautions valent mieux qu'une.

La réforme dans le reste de la société.

Michel Foucault s'interrogeait en 1976 dans *le Nouvel Observateur ;* il se demandait « au vu des scènes de la révolution culturelle, si certaines méthodes des camps n'avaient pas diffusé dans le reste de la société chinoise, comme portées, disait-il, par un souffle prodigieux ». En fait, ces méthodes sont nées dans les maquis, elles se sont peu à peu forgées et affirmées dans les zones libérées et n'étaient pas initialement employées pour des prisonniers. Aujourd'hui on les utilise dans tout le corps social, à destination de tous les citoyens, selon des modalités variables. La réforme de la pensée n'est pas une façon de rééduquer des adversaires politiques et des délinquants, *c'est une façon de gouverner.*

A l'origine, ces procédés furent employés par les maquisards du Kiangsi pour former leurs nouvelles recrues. Les paysans incultes ou les soldats déserteurs de l'armée nationaliste qui passaient à l'Armée rouge n'avaient pas toujours les idées claires quant à la doctrine de leurs nouveaux compagnons d'armes, à leurs objectifs et à leurs moyens de lutte. Les « bleus » étaient incorporés à de petits groupes d'étude, avec un moniteur et des éléments « avancés ». Progressivement, après discussion et rediscussion, le niveau idéologique devait s'élever et les moins avancés rejoindre les autres; tout cela faisait l'objet de rapports périodiques. Dans les zones libérées, on expliqua de la même façon la nécessité de la réforme agraire et de la lutte antijaponaise. L'étude (*xuexi*) en petits groupes est universelle chez les communistes. S'y ajoutent, en Chine, la consignation minutieuse des progrès accomplis et la critique par le reste du groupe lorsque ceux-ci sont trop lents. La réforme implique la dénonciation mutuelle des idées « pernicieuses ». C'est une pratique banale dans toute la Chine.

Dans le livre de Robert Jay Lifton, on peut lire le

récit d'un intellectuel, M. Hu, qui se rallia au régime
en 1949 et finit par le fuir. Sympathisant du parti
communiste, il partit en stage dans une université
révolutionnaire de la Chine du Nord qui avait été
précisément chargée d'aider les participants à se
rééduquer pour mieux servir la nouvelle société. Hu,
enthousiaste, se trouve donc placé dans un groupe
d'étude et, comme ses connaissances théoriques sont
déjà élevées, il en est nommé moniteur. Un cadre le
rencontre parfois et lui demande un rapport sur la
marche du groupe et l'évolution de ses membres. Les
séances sont très longues, le matériel d'étude très
abondant, de sorte que les loisirs sont minimes. Hu
découvre peu à peu que ce groupe n'est pas seulement
un moyen d'apprendre le marxisme, mais aussi une
structure d'encadrement. Bientôt il doit fournir des
rapports plus nombreux et plus détaillés, quotidiens,
non seulement sur l'évolution des esprits mais aussi
sur les *comportements* individuels. On l'invite à
s'appuyer sur les éléments « progressistes », les activistes, pour accentuer la pression sur les autres étudiants. Peu après, il s'aperçoit que le cadre reçoit de
ces activistes d'autres rapports quotidiens, grâce auxquels il contrôle les siens. Lui aussi est épié et son
attitude jugée. En définitive, le groupe est comme un
tube à essai où un cadre du parti se livre à des
manipulations. Chacun y est mobilisé contre tous et
réciproquement. Comme dans les camps, l'atmosphère d'unanimisme combinée à la surveillance
mutuelle dissout les individualismes, rabote les personnalités, l'adhésion au régime étant la seule voie
offerte.
   Sans violence policière, sans nulle contrainte
physique même légère (c'est la différence avec la

prison), par le simple poids d'une intense pression collective, le parti obtient la conversion. La force qui s'exerce sur les esprits est si intense qu'elle en devient insupportable. Le seul soulagement offert est de clamer son assentiment, d'épurer ses moindres gestes quotidiens de tout ce qui peut manifester une opposition au régime.

Le monde de critique et d'autocritique, d'aveux et de dénonciations, dans lequel M. Hu se trouvait engagé à l'université de la Chine du Nord, excluait de sa part toute liberté de suivre ses inclinations personnelles. Tout penchant à l'autonomie était entravé par la crainte de se trouver en conflit avec les cadres et les activistes. Il lui fallait le plus souvent se taire ou ne parler que dans le langage conformiste de rigueur. Bientôt s'insinua en lui le sentiment qu'au moindre faux pas il risquait d'être étiqueté comme réactionnaire.

Bien que l'université fût mixte, les rapports sexuels étaient découragés car ils détournaient l'attention du processus de la réforme. Une simple idylle platonique était également mal vue si elle rapprochait un élément avancé et un élément « arriéré », celui-ci étant considéré comme un obstacle au progrès du premier. La situation ainsi décrite n'a rien d'exceptionnel, elle caractérise la société entière et quiconque a vécu en Chine peut témoigner que ce schéma n'est pas propre à cette seule université.

La réforme de la pensée s'effectue aujourd'hui *sur tous les lieux de travail :* dans chaque atelier, chaque section, chaque unité. En dehors des heures de travail, des séances d'étude ont lieu. Nul ne peut s'y soustraire, de même que nul ne peut refuser de s'exprimer s'il est invité à le faire par le moniteur (généralement un membre du parti communiste déjà rodé). L'échange de critiques par le groupe et d'autocritiques des individus est constant. Quotidiennement, le cadre dirigeant l'unité reçoit les rapports des activistes — souvent d'autres membres du parti et de la Ligue de la jeunesse —, qui évoquent les progrès accomplis par les différents employés. Ce dirigeant rencontre périodiquement les éléments « arriérés », ceux qui ont des « problèmes ». Il les confesse, les admoneste, les conseille. Il en profite aussi pour leur demander des renseignements sur l'état idéologique de leurs compagnons de travail, et sur ses propres informateurs « avancés ». Par ces entretiens répétés et ces rapports journaliers, le cadre a en permanence un panorama complet de la situation idéologique du personnel. Bien entendu, le refus de participer à cette délation permanente serait assimilé à une attitude antisocialiste et entraînerait les plus graves sanctions.

Unanimisme, pression collective, longues séances d'étude, maintien d'occupations constantes excluant tout désœuvrement, loisirs restreints, répression sexuelle, telles sont les normes autour desquelles s'ordonne toute la Chine post-révolutionnaire. Dans les geôles, les programmes de réforme s'exercent simplement de manière plus concentrée, plus intensive, plus rapprochée dans le temps. La contrainte physique s'y mêle, mais là aussi de façon accessoire.

La Révolution culturelle n'a pas innové. Les grands meetings de lutte idéologique, avec insultes aux réprouvés, critique et autocritique des cadres du parti, n'ont fait que reprendre une pratique des années 30. Dans les zones libérées, les communistes réunissaient les masses paysannes et les invitaient à conspuer

pendant de longues heures, plusieurs jours de suite
parfois, les propriétaires fonciers arrêtés. Le principe
est toujours le même, celui de la mort symbolique.

A l'étranger, on a occasionnellement écrit à propos
de la réforme, notamment aux U.S.A. L'individualisme occidental voit avec effroi cette métamorphose
du psychisme qui, parce qu'elle efface la personnalité,
lui semble représenter une arme terrible contre le type
de société où nous vivons et ses bases philosophiques
mêmes. Ce sujet fascine et dans les années 50, une
certaine littérature mit en relief la pression du groupe,
l'atrophie de la pensée individuelle, l'adhésion irrésis-
tible aux valeurs collectives que nous venons de
décrire. Jamais pourtant il n'a été dit, alors que cela
est essentiel, que la mise en œuvre de ce procédé de
rééducation globale dépend de l'attitude de la population envers le régime politique. On dira que le lavage
de cerveau a pour but de provoquer l'adhésion des
masses, de bloquer les comportements individualistes,
d'effacer les attitudes oppositionnelles : c'est exact. Il
faut pourtant qu'existe initialement un groupe assez
large pour servir de point de départ à la réforme, un
groupe où l'adhésion soit déjà acquise, le dévouement
aux idéaux collectifs très fort. Le parti communiste
n'a pu élargir son audience et diriger la Chine qu'en
gagnant des adeptes de plus en plus nombreux. Si
ingénieuse que soit la réforme, si subtile la technologie ainsi élaborée, d'autres facteurs, politiques cette
fois, ont joué. Huit cents millions d'hommes ne
seraient pas pris aujourd'hui dans cette espèce de
cyclotron infernal, où chacun est prisonnier de tous,
où les frontières entre la contrainte et la persuasion,
entre la délation et l'honneur tendent parfois à se
confondre, si en 1949 la révolution n'avait rencontré

le consensus actif ou passif d'une bonne partie de la population. Aujourd'hui encore, la conscience de lutter pour un monde meilleur, pour créer une Chine nouvelle et forte, influence beaucoup la participation des citoyens à la politique et le concours qu'ils apportent finalement à leur propre asservissement. Là encore, la comparaison avec le passé, les améliorations réelles apportées au niveau de vie, et un certain progrès économique créent pour le parti communiste un terrain favorable. Les renversements de politique à 180°, les manipulations intenses opérées pendant la Révolution culturelle ne s'expliqueraient pas sans l'atmosphère d'approbation et de soutien dont il a bénéficié à l'origine et qu'il s'efforce depuis d'entretenir, avec plus ou moins de succès selon les périodes.

Pourtant, l'avenir de la réforme de la pensée est compromis. Précisément parce qu'elle passe par le pouvoir du groupe sur l'individu, la technique est aujourd'hui menacée. Le groupe ne peut écraser l'individu que s'il est soudé par une très forte adhésion aux valeurs collectives. Or, au cours de la Révolution culturelle, la formule a trop servi, à trop de gens différents, pour trop de politiques contradictoires.

Jean Pasqualini évoque le cas de ce prisonnier qui avait dû avouer un crime qu'il n'avait pas commis. L'erreur découverte, on le relâcha, mais il était si persuadé de sa culpabilité qu'il ne parvint pas avant un bon moment à « se remettre dans sa peau d'innocent ». De tels cas furent très communs pendant la Révolution culturelle. Innombrables sont les Chinois qu'on a persuadés qu'ils étaient révisionnistes et qui se sont retrouvés un jour déchargés de cet opprobre, si même on ne leur rendait pas hommage pour avoir été des victimes de Lin Piao ou des « précurseurs » dans la lutte de classe. Nombre de cadres voués à l'infamie occupent à nouveau des postes de direction, aux côtés de leurs accusateurs d'hier : Teng Siao-ping est le plus éminent d'entre eux. Comment pourraient-ils éviter de penser qu'il y a décidément quelque chose de pourri dans la République populaire?

En douze ans, celle-ci a été gouvernée par Liou Chao-chi, Teng Siao-ping, Lin Piao, Tchen Po-ta, Kiang Tsing et ses trois amis changhaïens, qui tous ont été accusés ensuite d'être des contre-révolutionnaires. Teng a été réhabilité et il est aujourd'hui au pouvoir. En une décennie, on est passé d'un radicalisme gauchiste échevelé au pragmatisme le plus droitier, en passant par la militarisation linpiaoïste de 1968. Faut-il s'étonner que le scepticisme, l'effondrement des valeurs et même le cynisme marquent le corps social? Or ces réactions sont de nature à frapper la réforme de stérilité. La technique risque avec le temps de devenir une pure cérémonie, un rite sans conséquence. Dans certains milieux, chez les intellectuels notamment, on a appris à résister. Dans les unités de travail, on sait maintenant se ménager : les retournements et les virages à 180° incitent à la prudence, les critiques restent superficielles et les auto-critiques formelles. Pourquoi accabler tel camarade, exercer une trop forte pression sur lui, alors que demain ce sera peut-être mon tour? C'est pourquoi la dernière épuration, celle des partisans de la « bande des quatre », se heurte à beaucoup de résistances en certains endroits. Non que les responsables et les masses aient eu une grande sympathie pour ce courant, mais les retours de flamme sont toujours pos-

sibles. Le vaincu d'aujourd'hui peut être le maître
demain et les règlements de comptes recommencer.
Pourquoi compromettre l'avenir par une sévérité
excessive?

ANNEXE DU CHAPITRE PREMIER

Les lecteurs familiarisés avec les minutes des procès de Moscou retrouveront dans ces textes quelques points communs.

A. *Les aveux de Siao Mu, un des secrétaires de Wang Hong-wen* [1].

« ... Afin d'usurper le pouvoir dans le parti et dans l'État, Wang Hong-wen, ce conspirateur et carriériste, a longtemps nourri le vain projet d'abattre en grand nombre les camarades vétérans qui au centre et dans les régions suivaient la ligne révolutionnaire du président Mao. A partir du mouvement de critique de Lin Piao et de Confucius en 1973, il m'a souvent dit que parler d'expérience révolutionnaire aujourd'hui, cela voulait dire l'expérience dans la Révolution culturelle. [*C'est-à-dire, à en croire le locuteur, que Wang niait la valeur de la révolution menée avant 1949, J. D.*] [...] A quoi bon ces vieilleries, disait-il! En 1975 ou au début de 1976, il a dit que la tradition des monts Tsinkiang [*Les maquis de 1927, J. D.*]

---

1. Membre du Bureau politique arrêté en octobre 1976. Avec Kiang Tsing, Yao Wen-yuan et Tchiang Tchouen-kiao, ils formaient la « bande des quatre ».

était dépassée et que tout ce qui appartenait à l'époque de la révolution démocratique l'était aussi. Il y a des responsables engagés dans la voie capitaliste partout, disait-il, et ce sont les démocrates d'antan. Je soutenais la bande des quatre et j'ai adopté ce point de vue. Quand je suis rentré à Changhaï, à la mi-mai, je me suis fait avec zèle l'écho de ce point de vue réactionnaire, à une réunion de discussion des écrivains amateurs. »

B. *Les aveux de Chou Kiao-ya, un des responsables du ministère de la Sécurité.*

« J'ai agi en accord complet avec les vœux contre-révolutionnaires de la bande des quatre. A la conférence des chefs de bureaux de sécurité tenue en juin dernier à l'insu du président Hua, nous fîmes de l'attaque contre les responsables engagés dans la voie capitaliste la tâche centrale de la Sécurité [...] Notre but était de changer la nature de la dictature du prolétariat, d'en diriger le fer de lance à l'intérieur du parti et d'agir au service de la conspiration contre-révolutionnaire de la bande des quatre afin d'usurper le pouvoir dans le parti et dans l'État. »

(Source : *Issues and Studies*, juillet 1978, n° 37. Document du Comité central du parti communiste chinois [*zhongfa*].)

C. *Confession du professeur Tsin Yue-lin, parue le 17 avril 1952 dans le* Kuangming Ribao (Clarté), *à Pékin.*

« Avant la libération, je n'avais aucune idée de cette vérité, que le travail crée le monde. Je croyais à tort que la race humaine était sans importance et que son histoire n'était qu'un petit épisode dans l'histoire générale de l'évolution. J'avais donc tendance à mépriser le monde et à me tenir " au-dessus des classes " et " au-dessus de la politique ". Mon goût pour cette philosophie décadente me conduisait à mépriser le travail administratif. Je m'efforçais de minimiser mes problèmes personnels et d'adopter une attitude très indifférente à l'égard de toute chose [...] Quoique privilégié, je refusais d'endosser les responsabilités correspondantes. Tout en me la coulant douce, j'évitais tout travail administratif [...] Je me déteste aujourd'hui à cause de cela plus que je ne puis le dire. »

D. *La résistance* [Jean DAUBIER].

Peut-on résister au lavage de cerveau? Oui. Curieusement, le fait d'être à l'origine un opposant farouche au communisme ne prédispose pas nécessairement à devenir un réfractaire. Entendons-nous : il n'est pas indifférent qu'il y ait peu ou beaucoup de procommunistes et d'anticommunistes dans une société. Que les communistes aient autour d'eux beaucoup de sympathisants leur facilitera la tâche pour s'emparer des leviers de commande et, c'est évident, pour mettre en œuvre le processus. Cela dit, à l'échelle individuelle, les choses se passent de manière complexe. L'anticommuniste de choc résiste parfois moins bien au traitement. Il n'est pas même rare de voir de telles personnes devenir de zélés serviteurs du parti, pour peu qu'elles aient une disposition d'esprit autoritaire ou un penchant à l'intolérance. La meilleure arme pour résister au lavage de cerveau est de savoir comment fonctionne le système, d'en connaître les ressorts et d'être familiarisé avec l'idéologie qui les sous-tend. L'endoctrinement repose sur la création et le maintien d'un milieu clos et unanimiste. C'est pourquoi le parti communiste chinois tient les frontières fermement verrouillées et limite les contacts de son peuple avec le monde extérieur[2]. De la même manière,

2. Un fait nouveau est de nature à bouleverser les données de la situation idéologique en Chine et à précipiter son évolution. Les nouveaux maîtres du pays sont décidés à le moderniser très vite et

sa propagande tend constamment à uniformiser les cons-
ciences et à exclure toute manifestation de pluralisme. Le
pluralisme, voilà l'ennemi, car il agit comme un puissant
dissolvant des idéologies totalitaires. Il crée le milieu type
où elles ne peuvent se développer. C'est pourquoi tout ce
qui va dans le sens de la tolérance et de la multiplicité
exerce un effet préventif sur l'essor des régimes dictato-
riaux.

Dans une société déjà gagnée par le totalitarisme, résister
est plus difficile; mais on peut dire que le moindre élément
qui favorise la communication avec le monde extérieur
aidera à briser l'homogénéité du milieu et, de ce fait,
atténuera la pression collective [3].

La résistance individuelle au lavage de cerveau dépend
aussi de la maîtrise par le sujet d'un ensemble de valeurs
propres, suffisamment organisé et intégré pour tenir en
échec l'idéologie marxiste. Il est plus facile de réformer des

---

ils font appel désormais à l'étranger. Entretenir de bonnes relations
avec l'Occident et le tiers monde est devenu vital. Pour la
bureaucratie, cela se traduit par une véritable frénésie de voyages.
Des délégations innombrables, depuis les experts militaires jusqu'aux joueurs de go, sillonnent le monde. A terme, ces contacts ne
peuvent qu'affaiblir la vision manichéenne et simpliste que la
propagande cherche à implanter dans les esprits chinois. Le
pluralisme est, par la force des choses, destiné à élargir sa sphère
intellectuelle; le régime restera certes une dictature intolérante,
mais le cadre unanimiste paraît irréversiblement condamné. A
long terme, cela rendra caduque et impraticable la « réforme de
la pensée ». Le maintien de l'ordre et la pression sur les déviants
exigeront peut-être le recours à des méthodes plus directement
policières ou à une « psychiatrie » à la soviétique.

3. Ainsi pour prendre un exemple, le *Daily Worker*, organe du
P.C. américain, est le seul journal communiste qui ait reproduit le
rapport Khrouchtchev. Il était diffusé en Chine en 1956 et c'est
par lui que l'intelligentsia chinoise fut informée des crimes de
Staline. Ajoutons que 1956 fut une année de crise idéologique
dans tout le pays.

gens incultes ou qui ne croient à rien, et combien plus encore ceux qui depuis l'enfance sont soumis à des conditionnements systématiques et artificiels. A cet égard, l'évolution actuelle des sociétés occidentales est plus qu'inquiétante. En produisant, sous la triple influence de la publicité, de la dépolitisation organisée et de la dégradation qualitative de l'enseignement, des foules massifiées, déracinées, coupées de leurs sources culturelles et de ce qu'il y a de plus vif et progressiste dans leurs traditions, on crée les conditions d'une moindre défense contre le totalitarisme. On facilite la tâche des apparatchiks s'ils venaient un jour à s'emparer du pouvoir.

La résistance commence dès à présent.

CHAPITRE II

ORGANISATION ET STRUCTURES
UNE SOCIÉTÉ STRATIFIÉE
ET COMPARTIMENTÉE

De l'opportune fonction des complots.

Le 6 octobre 1976, moins d'un mois après la mort de Mao Tsé-toung, sa veuve Kiang Tsing et ses trois alliés du Bureau politique, Tchiang Tchouen-kiao, Yao Wen-yuan et Wang Hong-wen, étaient arrêtés par les services spéciaux du Premier ministre Hua Kouo-feng. Dix mois plus tard, en août 1977, celui-ci, devenu entre-temps président du parti communiste chinois, instruisait leur procès devant les délégués au IIe Congrès de cette organisation.

« Les quatre, dit-il, formaient une clique de conspirateurs contre-révolutionnaires... Ils pratiquaient le révisionnisme, travaillaient à la scission et tramaient intrigues et complots... Ils se livraient à toutes sortes de machinations avec l'intention de s'emparer du pouvoir et de transformer le parti communiste chinois en un parti révisionniste et notre dictature du prolétariat en une dictature bourgeoise fasciste... »
« La lutte menée contre cette bande, précisait le président, est la continuation de la longue lutte qui oppose le parti communiste et les masses populaires

qu'il dirige aux *réactionnaires du Kouomintang* »
[*souligné par moi, J. D.*].

Complot inspiré par les nationalistes réfugiés à
Taïwan sous le protectorat des États-Unis, conspiration d'individus qui seraient les produits de l'ancienne société, tout dans cette présentation reliait la
crise du groupe dirigeant, illustrée par l'arrestation et
l'élimination de quatre de ses membres, à des
influences externes et quasi étrangères.

Dans le rapport présenté au Congrès, Hua Kouo-
feng décrivait Tchiang Tchouen-kiao comme un
« agent secret du Kouomintang ». Ses trois affidés
composant avec lui la « bande des quatre », *sejen-
bang*, n'étaient guère plus flattés : Kiang Tsing était
une « renégate », Yao Wen-yuan un « élément étranger à nos rangs de classe » (des articles divers le
présentaient aussi comme le « fils d'un espion ») et
Wang Hong-wen un « nouvel élément bourgeois ».
Éléments étrangers, agents secrets, bourgeois! Pourtant, les quatre dirigeants renversés jouaient un rôle
de tout premier plan dans la vie politique chinoise, ils
donnaient même le ton, et deux d'entre eux —
Tchiang et Yao — passaient pour d'éminents théori-
ciens du parti. Wang était vice-président du Comité
central et avait fait figure, à une certaine époque,
d'héritier présomptif de Mao Tsé-toung. Tout cela
pourrait sembler à première vue contradictoire avec le
fait de représenter l'ancienne réaction et d'agir pour le
Kouomintang. Le rapport du président Hua invitait
précisément à ne pas se laisser prendre à ce qui n'était
selon lui qu'une « apparence » : « Les quatre, dit-il,
avaient mis un soin particulier à se déguiser en
partisans du marxisme, qu'ils s'appliquaient à dénatu-
rer pour s'en servir dans leur conspiration contre-

révolutionnaire visant à usurper le pouvoir dans le parti et dans l'État [1]. » Autrement dit, les idées marxistes que professaient les « quatre » n'étaient qu'un voile posé sur leurs machinations.

Ce n'est pas la première fois qu'un conflit au sommet du parti communiste chinois est présenté comme le fruit d'une conspiration. Ces analyses réductrices sont en fait habituelles. La chute des « quatre » en 1976 constitua, selon la terminologie officielle, l'épisode décisif de la « onzième grande lutte » au sein du parti. La dixième, cinq ans plus tôt, s'était terminée par la mort mystérieuse de Lin Piao, dauphin de Mao Tsé-toung, également accusé de projets séditieux. Avant sa chute, Lin avait joué un grand rôle dans la « neuvième lutte » contre le président de la République Liou Chao-chi, lui aussi accusé de « complot de restauration du capitalisme ». L'année 1955 avait vu l'élimination de Kao Kang, un très haut dirigeant du parti, responsable de la Mandchourie. Au VIIIe Congrès, en 1956, le secrétaire général Teng Siao-ping l'accusa de « vastes activités conspiratrices [qui] allaient totalement à l'encontre des intérêts du parti et du peuple et servaient ceux des ennemis de la Chine [2] ».

Au début de la Révolution culturelle, en mai 1966, Lin Piao, alors chef des armées et inspirateur du mouvement en cours, avait même formulé devant le Bureau politique élargi une véritable théorie des complots. Cinq dirigeants de haut rang dont le maire de Pékin, Peng Chen, membre du Bureau politique,

1. *Pékin information*, n° 35, 29 août 1977.
2. Cf. Franz Shurman, *Ideology and Organization in Communist China*, University of California, 1966, p. 271, note 44.

venaient d'être démis de leurs fonctions. On les accusait d'avoir tenté de fomenter une « révolution de palais ». Lin présenta alors, statistiques et références historiques à l'appui, une longue et rigoureuse analyse des coups d'État. Il évoqua l'étranger, la Chine, le passé, le présent, la technique, les conditions de succès d'un putsch, et conclut par ces mots : « Nous devons faire de grands efforts pour prévenir la subversion intérieure et les coups d'État contre-révolutionnaires [car] nombre de sales aventuriers attendent l'occasion. Ils veulent nous tuer et nous devons les supprimer [3]. »

Pourquoi donc y a-t-il tant de complots dans la République populaire de Chine? Et surtout, tant de complots semblables, impliquant chaque fois de grands dirigeants tenus jusque-là en haute estime et toujours systématiquement présentés ensuite comme des hommes du passé, traîtres à leur patrie, des hommes d'autrefois et d'ailleurs [4]?

Ces accusations, portées contre des gens prestigieux un jour et traînés plus bas que terre le lendemain, sont commodes pour leurs adversaires au pouvoir. Elles donnent une certaine probabilité au changement

3. Cf. M. Y. Kau, *The Lin Piao Affair*, International Arts & Sciences Press, White Plains, New York, 1975, p. 326.
4. L'accumulation, au fil des ans, de ces fantastiques accusations contre des cadres aux états de service glorieux, comme Kao Kang ou Lin Piao, les a évidemment rendues peu crédibles. Ce n'est pas le seul désir d'être cru qui inspire ces campagnes de propagande. Les commentateurs de la vie politique chinoise ont souvent souligné qu'il s'agissait d'un geste symbolique, d'une sorte de mise à mort morale des réprouvés, ayant valeur d'exorcisme. Nous montrons ici qu'au-delà du rite, l'analyse d'une crise en terme de conspiration remplit aussi et surtout une importante fonction politique et idéologique.

brusque qui s'opère lorsque, adulé la veille, un dirigeant est soudain voué aux malédictions les plus virulentes. Il est renversant (c'est le cas de le dire) d'apprendre qu'il est le contraire de ce qu'on croyait. Mais cela prouve simplement, n'est-ce pas, que c'était un intrigant, un Janus contre-révolutionnaire, une personne habile à cacher son jeu. Bien sûr, on pourrait facilement ironiser, comme on le fit jadis à propos de l'U.R.S.S., sur le nombre d'individus de ce genre qui semblent se donner rendez-vous au sommet des partis communistes...

Briser le complot de X ou de Y est une opération administrative et policière en général urgente, et caractérisée par la prompte arrestation du comploteur. Nul besoin de réfuter sa politique et d'engager un débat de fond sur ses conceptions, du moins dans l'immédiat. L'accusation discrédite d'emblée celui qu'elle vise. La réfutation de ses idées n'est plus alors qu'une opération complémentaire. Les vainqueurs, puisqu'ils tiennent en main la propagande, l'effectueront plus tard. Ils pourront, selon leurs besoins, aller en profondeur ou au contraire s'en tenir à un niveau de superficialité préalablement fixé. Comme la réfutation provient d'une presse qui n'a rien de pluraliste, elle a fort peu de chances de déborder de son cadre et de donner lieu à des débats ou contestations intempestifs. Un peu plus tard encore, on récrira l'histoire du parti. La contribution passée du « traître » cessera d'être mentionnée et il deviendra une non-personne, ou bien on noircira son action, jusque-là tenue pour digne d'éloges. Sa photo disparaîtra des musées consacrés à la révolution.

Si X ou Y est un factieux, on peut facilement relier son activité à celle de services secrets étrangers ou à des actes de subversion inspirés du dehors. Nous l'avons vu, c'est systématique. Les hommes au pouvoir suppriment ainsi toute analyse de classe précise du conflit. Certes, ils désignent X ou Y comme un représentant de la bourgeoisie désireux de « restaurer le pouvoir des capitalistes et des propriétaires fonciers ». Mais c'est purement formel et l'on se gardera de scruter de trop près la base sociale du courant malmené. On proclamera très haut qu'il a ses racines hors du parti, ce qui explique que le vocabulaire officiel désigne abondamment les vaincus comme des « infiltrés ». Ceux-ci doivent être issus des classes exploiteuses de l'ancienne société, aujourd'hui renversées mais toujours dangereuses, ou corrompus par elles. Les groupes et forces « réactionnaires » vilipendés ne doivent être qu'une « survivance du passé », et toute déviation idéologique doit avoir une inspiration externe. L'accusation de conspiration massivement brandie répond à un besoin simple mais essentiel : dissuader de chercher l'assise, le terrain nourricier des conflits de fractions dans le parti ou dans le régime. Cette question est tabou en Chine et le mot complot est le signal qui indique la barrière à ne pas franchir.

Le régime reconnaît la lutte des classes en son sein, mais il en a une conception étroite : il considère *ne varietur* que le prolétariat, censé être au pouvoir, combat la bourgeoisie et les féodaux dépossédés ainsi que la subversion étrangère. De ce point de vue, et contrairement à une légende tenace, la Chine populaire n'a pas suivi une logique très différente de celle de l'U.R.S.S. au temps de Staline. Pour le défunt maréchal, l'État prolétarien devait surtout se défendre contre les agressions étrangères. Dès lors, il fallait que les dirigeants qui s'opposaient à lui soient des agents de l'ennemi impérialiste et qu'ils l'avouent. D'où les procès de Moscou.

A Pékin, on admet que les conflits politiques ont partiellement leur origine dans la société chinoise; cependant les classes dénoncées sont invariablement celles des « ci-devant »; les hauts dirigeants communistes successivement éliminés depuis dix ans ont tous été présentés comme leurs agents introduits à titre individuel dans le parti. Le Kouomintang, réfugié à Taïwan et lié aux États-Unis, représente à la fois le passé et l'extérieur, son spectre traverse la scène à chaque période critique.

Le maoïste français Charles Bettelheim, sans doute gêné par des analyses aussi primitives, s'est naguère donné beaucoup de mal pour démontrer que des rapports de production capitalistes subsistaient après la révolution socialiste et que, donc, au sein même du parti apparaissent des « porteurs de rapports de production bourgeois » qui font courir un risque de restauration de l'ancien régime. Ces explications plus sophistiquées n'ont pas cours en Chine. Inconnus, les rapports de production! Il est entendu, il doit être entendu, qu'il s'agit de conjurations ourdies par les anciennes classes dominantes et les pays étrangers et n'ayant rien à voir avec la nouvelle société[5]. L'idée que la ligne vaincue, rituellement qualifiée de contre-révolutionnaire, puisse être structurellement induite est contraire à la théorie des complots; elle est subversive. Pourquoi?

---

5. Nous verrons que, par exception, les « quatre » dirigeants éliminés s'étaient éloignés de la théorie des complots. Cf. chapitre III.

Le tabou de l'analyse de classe en Chine.

La Chine est gouvernée par des marxistes. L'État chinois se présente comme une dictature du prolétariat et se déclare explicitement fondé sur la lutte des classes. Or, paradoxe des paradoxes, il n'existe aucune analyse officielle de la structure sociale de la Chine populaire. Depuis 1949, aucune statistique, aucune étude détaillée des mutations survenues dans le pays n'a été publiée. Tout indique pourtant qu'en trois décennies une stratification très différente de celle de l'ancienne société est apparue. Aucune documentation n'est accessible, aucune recherche sur ce sujet n'est autorisée à un étranger et, si de tels travaux ont été effectués par des Chinois, ils sont restés secrets. Il est donc juste de dire que la société chinoise d'aujourd'hui est drapée de mystère.

Cette formation aux contours et aux structures imprécis, dont tout indique qu'elle évolue selon une dynamique brutale, est bizarrement évoquée dans le langage officiel à travers des catégories et un vocabulaire immuables. Non seulement l'analyse des conflits de classes ne se distingue pas fondamentalement de celle de 1949, mais on en souligne la continuité. Mieux, les classes qui s'affrontent seraient, à s'en tenir aux vocables officiels, les mêmes : ouvriers, paysans pauvres et moyens d'un côté, bourgeoisie, paysans riches et propriétaires fonciers de l'autre. En voici un exemple fourni par une citation du *Drapeau rouge* (janvier 1967, nº 3) : « Dans certains endroits ces réactionnaires réorganisent leurs légions. Ils regroupent propriétaires fonciers, paysans riches contre-révolutionnaires, mauvais éléments et droi-

tiers[6]. » Dix ans plus tard, dans un article de
mai 1977 intitulé : « Menons jusqu'au bout la révolution sous la dictature du prolétariat », Hua Kouo-feng
écrit : « Elle [la bande des quatre] s'opposait à ce que
notre parti s'appuie de tout cœur sur la classe
ouvrière, sur les paysans pauvres et moyens-pauvres,
s'unisse avec les intellectuels révolutionnaires et les
larges masses. [Elle s'appuyait sur] les propriétaires
fonciers, les paysans riches, les contre-révolutionnaires, les mauvais éléments, les bourgeois anciens et
nouveaux[7]. » On pourrait objecter que le régime a
abandonné certains termes archaïques : on n'entend
plus guère parler par exemple de « compradores » ou
de « hobereaux éclairés ». Néanmoins, l'usage persistant de catégories propres à une société présocialiste
est frappant. Comment l'expliquer?

A l'époque de la réforme agraire, on attribua à tous
les citoyens chinois une « désignation de classe », *jieji
zhengfen;* il y en avait soixante : propriétaires, paysans pauvres, moyens, riches, ouvriers industriels ou
agricoles, artisans, capitalistes, etc. En général, et
conformément aux notions marxistes, elles exprimaient un rapport aux moyens de production, encore
que des désignations comme « cadres », « soldats
révolutionnaires » ou même « indigents » aient pu
paraître assez vagues. Après la réforme agraire et les
campagnes anticapitalistes des années 50, de telles
désignations auraient dû, compte tenu des bouleverse-
ments révolutionnaires, disparaître, frappées d'obso-
lescence. *Or ce ne fut pas le cas.*

<hr />

6. Cité dans *Pékin information,* n° 6, 6 février 1967.
7. *Pékin information,* n° 19, 9 mai 1977. Sur le concept de nouvel
élément bourgeois, voir p. 157, annexe du chapitre IV.

Les propriétaires sont dépossédés, les paysans riches ne le sont plus, les paysans pauvres parfois le sont moins, les ouvriers, fonctionnaires et militaires sont rétribués selon un système salarial complexe qui comprend de nombreux grades, échelons et indices. On est en face d'une société métamorphosée, et pourtant le vocabulaire du communisme chinois reste marqué par une remarquable continuité.

Il y a plus surprenant encore. La population chinoise, on le sait, est une des plus jeunes du monde. Plus de la moitié n'a pas connu l'ancienne société et donc, logiquement, on n'aurait pas dû lui appliquer des désignations de classe qu'on peut légitimement tenir pour dépassées. Des données concordantes, appuyées par de multiples témoignages de personnes ayant séjourné en Chine à des périodes différentes, permettent d'affirmer ceci : en pratique (c'est-à-dire *en fait mais non en droit*), les enfants tendent à hériter, bon gré mal gré, de la désignation de leurs parents : ainsi les fils et filles de propriétaires fonciers sont assimilés à leur famille. Ils ne sont pas tenus officiellement pour des propriétaires fonciers : aucune loi, aucun décret, aucun règlement d'administration publique, aucun code n'établit une chose semblable. Néanmoins ils sont considérés comme suspects et, à certaines périodes, font l'objet de diverses discriminations, qui peuvent aller jusqu'à l'interdiction de se déplacer, de participer à des réunions d'information ou, chose assez courante, d'entrer à l'université. Par contre un fils d'ouvrier, s'il ne travaille pas à l'usine, s'il devient par exemple étudiant, ne sera certes pas tenu pour un ouvrier, mais il revendiquera fièrement, je l'ai constaté mille fois durant mon séjour en Chine, cette origine prolétarienne, qui crée un préjugé politique favorable et constitue un avantage. Le problème est que les rejetons des cadres du parti, des hauts cadres notamment, ont tendance à se prévaloir eux aussi d'une origine impeccable. Ouvriers, paysans, *cadres*, martyrs et intellectuels révolutionnaires forment en effet les « cinq catégories rouges », les bonnes catégories. Leurs enfants entrent à leur tour dans ces cinq catégories[8]. Bien sûr, la propagande rappelle périodiquement que nul n'est révolutionnaire de naissance et qu'un jeune, même de bonne origine, doit faire ses preuves, mais cette conscience d'appartenir à un groupe social estimé est très enracinée dans la Chine d'aujourd'hui. En 1966, en pleine Révolution culturelle, des groupes de Gardes rouges, enfants de cadres, se constituèrent sur cette base familiale, d'autant plus facilement d'ailleurs qu'ils fréquentaient les mêmes écoles spéciales. Hostiles à la contestation de Liou Chao-chi et de Teng Siao-ping, ils attaquèrent d'autres Gardes rouges, moins « purs » socialement, avec le slogan : « A père réactionnaire, fils indigne[9] ! »

Propriétaires fonciers, paysans riches, capitalistes,

8. Beaucoup de marxistes rejetteraient un tel système comme antimarxiste. Et pourtant il existe ou a existé dans tous les régimes se réclamant de cette idéologie. En Hongrie, maintes personnes m'ont indiqué qu'un *numerus clausus* était en vigueur sous Rakosi, destiné à empêcher les enfants de bourgeois ou de propriétaires d'entrer à l'université. En U.R.S.S. un système comparable a sévi. Soljenitsyne y fait allusion dans *le Pavillon des cancéreux*.

9. Cf. Jean Daubier, *Histoire de la Révolution culturelle prolétarienne en Chine*, Éd. Maspero, 1970, t. 1, p. 139. C'est ce que l'on a appelé la « théorie du lignage ». Voir annexe C du présent chapitre.

bandits, droitiers, en abrégé *di, fu, fan, huaï, you,*
forment les « cinq catégories noires ». Leurs membres
sont surveillés par la police et leurs voisins et privés
de droits politiques. Leurs enfants ne sont pas
officiellement rangés dans ces catégories, ils ne sont
pas tous privés de droits civiques; certains ne le sont
que par intermittence, en période de crise. Tel fut le
cas au printemps et à l'été 1968. En outre, chacun
d'eux peut, par son comportement, se révéler révolutionnaire [10]. Ceci malheureusement reste théorique, et
en fait cette origine « malsaine » est un handicap
écrasant.

A en croire la propagande, ce sont ces classes et ces
catégories sociales rudimentairement définies, conçues
de façon traditionnelle et statistiquement imprécises
qui s'affrontent dans les conflits qui secouent la
République populaire. Cette propagande tend à faire
croire que les anciennes classes existent toujours et
que le rapport de forces entre elles n'est qu'inversé.
Prolétariat et paysannerie pauvre seraient désormais
au pouvoir, propriétaires fonciers et bourgeois, jadis
oppresseurs, seraient désormais soumis à la dictature
de leurs anciens esclaves. L'emploi persistant d'un
vocabulaire périmé vise à imposer l'idée de ce
renversement essentiellement politique de la pyramide
sociale : « le prolétariat allié aux larges masses populaires », la base, faisant peser le poids de sa dictature
sur une « petite minorité d'exploiteurs », l'ex-sommet.
C'est là un des dogmes du régime. Nous verrons qu'il
n'a qu'un lointain rapport avec la réalité des structures sociales et de la nouvelle stratification apparues
après la révolution de 1949.

10. Voir les annexes du chapitre IV.

La Révolution culturelle et, déjà, le mouvement d'éducation socialiste commencé en 1963, se heurtèrent à cette inadéquation des fameuses désignations de classe. Les oppositions que la politique de Mao Tsé-toung avait rencontrées dans le parti avec Kao Kang, Peng Teh-huaï [11] puis Liou Chao-chi, le conflit avec Khrouchtchev, lui-même d'origine ouvrière, montraient que le « révisionnisme » et la « contre-révolution » venaient de vétérans communistes aux origines et au passé parfois impeccables. Au début des années 60, de grands articles du *Drapeau rouge* et du *Quotidien du peuple,* consacrés à l'analyse du khrouchtchevisme, expliquaient la dégénérescence du socialisme soviétique par l'apparition de « nouveaux éléments bourgeois dans les rangs de la classe ouvrière et parmi les fonctionnaires de l'État [12] ». Dans un tel contexte, si l'on voulait empêcher une évolution analogue de la Chine, les « cinq catégories noires » et les « cinq catégories rouges » pouvaient paraître légèrement folkloriques. Néanmoins, cette ligne de partage de la société chinoise ne fut pas abolie, non plus que les anciennes désignations de classe. Chaque citoyen chinois continue de porter au cou sa petite étiquette socio-politique, invisible, mais

11. Pour Kao Kang, voir *supra*, p. 47. Le maréchal Peng Teh-huaï, vétéran de la Longue Marche et chef des volontaires chinois en Corée, était en 1959 ministre de la Défense. Il s'opposa au Grand Bond en avant et à la politique militaire de Mao et fut destitué lors d'une réunion du Comité central tenue à Lushan. On l'a dit partisan du maintien de l'alliance avec la Russie.

12. *Débat sur la ligne générale du mouvement communiste international,* Éd. en langues étrangères, Pékin, 1964, p. 432.

connue du parti et soigneusement enregistrée dans ses dossiers [13].

En effet, adopter de nouvelles dénominations sociales et en définir les critères posait aux autorités des problèmes insolubles. Il eût fallu renoncer à des dogmes marxistes aussi indéracinables que la propriété ou l'absence de propriété des moyens de production pour établir les statuts individuels. Ce critère rigoureusement orthodoxe eût paru singulièrement délabré par exemple à la campagne, où le revenu d'une famille est souvent fonction du nombre de travailleurs actifs qu'elle comprend ; pour ne rien dire de la prolifération des bureaucrates urbains, dont la classification eût nécessité des critères nouveaux, sans rapport avec le marxisme classique. Or innover dans le champ doctrinal est fort délicat pour un parti au pouvoir, l'expérience ayant prouvé que c'était là une source de discordes interminables.

A l'aube de la Révolution culturelle, il apparut que pour préserver la Chine d'une « corruption » de type soviétique, il fallait cerner un genre d'ennemi relativement nouveau, en général situé dans le parti et guère justiciable des définitions formulées seize ou dix-sept ans auparavant. Les jeunes en particulier, dont

13. Il semble pourtant que les « cinq catégories noires » soient désormais au nombre de huit. Il fallait bien que la Révolution culturelle serve à quelque chose : *di, fu, fan, houaï, you,* plus *tewu, pantu, hsin xichanjieji fenzi,* agents secrets, renégats, nouveaux éléments bourgeois. Cette dernière catégorie peut s'appliquer à des membres du parti, elle n'implique pas l'existence d'une couche ou classe en son sein, mais simplement d'individus ayant « dégénéré » sous l'influence de l' « ancienne idéologie ». Le rapprochement avec les deux catégories précédentes, renégats et agents secrets, facilitera d'ailleurs l'accusation rituelle de « complot ».

beaucoup se croyaient révolutionnaires de naissance, devaient se « transformer idéologiquement » et faire leurs preuves. Les vétérans, quant à eux, devaient montrer qu'ils n'avaient pas démérité ni perdu leur dynamisme. Un éditorial de la revue *Jeunesse chinoise* indiquait ainsi en juillet 1966 que « la politique de classe du parti se fonde sur des actes ». La Révolution culturelle fit donc apparaître la perspective d'une redéfinition des statuts socio-politiques, une « valse des étiquettes » en somme, fondée sur le comportement individuel dans le vaste mouvement qui s'annonçait. A chacun de prouver dans l'action qu'il était révolutionnaire et l'on verrait aussi se révéler des tièdes, des bureaucrates et même des contre-révolutionnaires, indépendamment de leur rang dans le parti et l'État.

Cette doctrine suggérée et parfois affirmée par des éditoriaux de l'époque impliquait qu'on puisse servir une classe différente de sa classe d'origine, ce qui avait l'avantage (ou l'inconvénient pour certains) de dévaluer les sacro-saintes désignations, d'y introduire officiellement une certaine fluidité et de laisser prévoir leur dissolution. En particulier, tous les apparatchiks que leur fonction rendait *ipso facto* « révolutionnaires » et donc intouchables, se voyaient confrontés à l'éventualité d'une redistribution des cartes, d'un *new deal* maoïste en quelque sorte. *Le Quotidien du peuple* du 4 juin 1966 indiquait que « [quiconque s'oppose au système socialiste] connaîtra la déchéance et l'infamie totale et cela quelle que soit la hauteur de son poste et quel que soit son rang ».

A partir de 1967, la population largement mobilisée arracha le pouvoir aux féodalités bureaucratiques et créa des comités révolutionnaires, tandis que l'appa-

reil était démantelé. La Révolution culturelle était
devenue très concrètement un mouvement de masse
dirigé de « bas en haut [14] ». L'idée que la lutte visait
une sorte de néo-bourgeoisie au sein du parti se
profila. Elle fut confortée par la propagande de cette
époque qui était aux mains du très gauchiste Wang
Li; durant les prises de pouvoir, dont la première eut
lieu à Changhaï en janvier 1967, l'ensemble des
organes de presse reprit à satiété cette citation de
Mao : « La révolution est un soulèvement, un acte de
violence, par lequel *une classe en renverse une autre* »
[souligné par moi, J. D.]. Pourtant une circulaire
gouvernementale [15] vint rappeler que la vigilance
contre les cinq catégories noires était nécessaire, mais
personne n'y prêta alors attention. Rien ne put dévier
le soulèvement populaire. Naturellement si la révolution devait se faire de bas en haut, classe contre
classe, cela signifiait que la pyramide n'était pas
inversée. Elle était toujours installée sur sa base
traditionnelle, le prolétariat se trouvant en position
basse. Un bouleversement radical s'annonçait. Or, à
peine quinze mois plus tard, dans un contexte de
divisions et de remises en cause extrêmes, Mao Tsé-
toung fit une importante déclaration : « La Révolution
culturelle, dit-il, est une grande révolution politique
menée sous la dictature du prolétariat. Elle prolonge
la lutte des larges masses populaires, guidées par le *parti
communiste chinois,* contre les réactionnaires du *Kouomintang* » [souligné par moi, J. D.].
  Cette petite phrase fut diffusée dans toute la Chine.
En apparence, elle était très simple, mais l'effet

14. *Pékin information,* n° 5, 30 janvier 1967.
15. Citée en annexe du chapitre v. Voir p. 198.

produit fut considérable. Elle n'annonçait ni plus ni moins qu'un changement de cap complet. En soulignant le rôle dirigeant du parti, le président réhabilitait l'appareil et ses cadres, jusque-là fort malmenés. L'allusion à la dictature du prolétariat signifiait que le pouvoir n'avait jamais été confisqué par une nouvelle bourgeoisie; la référence au Kouomintang invitait à porter le fer de lance contre *les anciennes classes exploiteuses* et contre des agents secrets « infiltrés » dans le parti. Le président engageait son prestige dans cette opération qui visait à détourner le tir. Mao jusque-là avait paru soutenir les tendances les plus radicales; en 1967, il avait appuyé les prises de pouvoir « de bas en haut » et il avait encouragé le sentiment que le régime devait être totalement remodelé. En 1968, il changeait son fusil d'épaule [16]. Pour que tout cela soit bien clair, son dauphin Lin Piao lança une « vaste campagne d'épuration des rangs de classe », *qingli jieji duiwu.* Elle visait en priorité les agents secrets de Taïwan. Les « responsables du parti engagés dans la voie capitaliste », *zozipaï,* n'étaient plus que des cibles secondaires. La répression fut dure; elle toucha certains vétérans qu'on accusa

16. On pourra discuter à perte de vue des motifs qui ont pu inspirer la volte-face de Mao. En déclenchant la Révolution culturelle, il avait prouvé qu'il ne craignait pas de désacraliser le parti. Mais sans doute ne parvenait-il pas, comme beaucoup de vieux communistes, à imaginer qu'il puisse ne pas continuer à jouer un rôle absolument éminent. En outre, la division de la population en fractions compromettait l'unité et la sécurité du pays face à l'U.R.S.S. et aux Américains alors présents au Vietnam. Mao subissait aussi une forte pression de l'armée, à laquelle il lui était difficile de résister car le maintien d'un minimum d'ordre et d'administration dépendait d'elle.

d'avoir autrefois renié le parti communiste pour le Kouomintang, et elle visa aussi les groupes gauchistes les plus turbulents, surtout dans le Sud de la Chine. La rentrée politique inattendue du Kouomintang remettait à l'honneur les étiquettes socio-politiques traditionnelles. Certains Gardes rouges aux origines familiales suspectes en firent l'amère expérience, et se retrouvèrent arrêtés ou déportés. Dépister des agents secrets était un travail de spécialistes et non plus l'affaire des « masses ». Cela facilita la montée au pouvoir des militaires et de leur chef Lin Piao. L'idée que le comportement devait fonder un nouveau classement socio-politique, ce néo-behaviorisme maoïste qui avait contribué à priver les cadres de leur auréole prolétarienne, tomba aux oubliettes. Le mythe de la Révolution culturelle se fracassait.

Malaise dans la République populaire.

« *Eppur, si muove!* »
La manie du régime de situer l'origine des crises hors des frontières, ou à en faire l'héritage du passé, la préservation paradoxale de classifications catégorielles dépassées et pourtant chargées d'un contenu politique explosif sont remarquables. Que d'efforts pour masquer cette simple réalité, aisément discernable malgré l'absence de statistiques : la société chinoise, contrairement à la légende, est marquée par des inégalités non négligeables qui sont le fruit du système lui-même. Certains objecteront, et c'est juste, qu'elles ne sont pas comparables à ce qui existe en U.R.S.S. ou dans les pays occidentaux. Beaucoup de voyageurs repartent de Pékin avec le sentiment que le

régime est égalitaire et que les hiérarchies y sont faibles. Mais il faut apprécier la stratification sociale en fonction du niveau de productivité et de bien-être général, or la Chine est pauvre. L'apparente modestie des avantages dont jouissent les plus favorisés ne doit pas abuser; il faut l'envisager compte tenu de la situation de relative rareté où évoluent les couches populaires. Les disparités, c'est vrai, ne sont ni écrasantes ni insolentes. Mais pour le citoyen moyen, qui se détermine en fonction de ce qu'il voit et non en comparaison de ce qui se passe au Bangladesh ou à Moscou, ce n'est pas un mince problème.

Le système des rémunérations est complexe. Comparé au salaire d'un ouvrier *qualifié* celui d'un haut cadre sera quatre ou cinq fois plus élevé. Telle est l'origine d'une légende entretenue par des voyageurs pressés, selon laquelle l'écart des salaires serait seulement de 1 à 4. Une autre légende trouve son point de départ dans les visites d'usines rituellement inscrites au programme des voyages organisés. On y entend invariablement dire que l'échelle des traitements comporte huit degrés. Il n'en a pas fallu davantage à certains thuriféraires pour conclure que l'écart au niveau national était de 1 à 8. En fait, les guides et les présentateurs oublient généralement d'ajouter que cela correspond aux salaires des seuls ouvriers et que beaucoup d'employés et de cadres d'entreprises ont un statut de fonctionnaires de l'État et sont rémunérés selon un système entièrement distinct, qui comporte, lui, vingt-six degrés.

Au total, les différences nationales sont à chiffrer comme suit : 40 yuans (1 yuan = 2,60 F) pour ceux qui touchent le moins, les apprentis (certains ne gagnent même que 35 ou 37 yuans, selon divers

Les nouveaux maîtres de la Chine

témoignages); rarement plus de 450 yuans pour les salaires les plus élevés, au niveau ministériel. Il y a eu des revenus plus confortables, ceux des capitalistes « nationaux » qui percevaient 5 % des bénéfices de leur entreprise jusqu'à la Révolution culturelle. Cette couche était marginale et en voie d'extinction, ce privilège n'étant pas transmissible. Il a pu arriver aussi que de grands bourgeois ralliés au régime, tel l'acteur Mei Lan-fang, continuent de toucher de fortes mensualités, 1 000 yuans et plus : ceci était destiné à encourager d'autres Chinois aisés, ainsi que des Chinois d'outre-mer, à suivre son exemple, sans les pénaliser au niveau de leurs ressources. Aux revenus les plus hauts s'ajoutent par ailleurs des éléments peu chiffrables de niveau de vie, tels que des logements plus spacieux, l'usage d'une voiture, la présence de domestiques dont le service est fourni gratuitement. Ces avantages, soulignons-le à l'intention de ceux qui ne connaissent pas la Chine, ne sont nullement comparables aux considérables privilèges dont jouissent les fonctionnaires soviétiques sous ce rapport.

On peut finalement chiffrer l'écart national des rémunérations de 1 à 12 environ. Ce n'est pas démesuré, ce n'est pas négligeable non plus. Vues de Chine où le niveau de vie reste souvent proche de l'élémentaire, ces différences peuvent paraître anormalement grandes. Ajoutons au tableau qu'il y a des vagabonds, des gens sans travail et sans revenu [17], et

17. Bien qu'ils soient rares à Pékin et d'une manière générale dans les grandes villes accessibles aux étrangers, dont on les chasse, l'auteur de ces lignes a vu des mendiants dans la capitale, ce dont nombre de résidents peuvent également témoigner. Des renseignements divers suggèrent que cette catégorie de gens pourrait être en expansion.

aussi que la relative rareté des biens engendre un marché noir — toujours sévèrement réprimé, ce qui peut expliquer qu'il soit moins visible qu'en Russie.

Il est inévitable qu'il y ait des rémunérations différenciées chez les ouvriers. Certains sont plus habiles, plus qualifiés. Le marxisme admet la notion de « travail complexe », qui fait varier la valeur de la force de travail. Aucun régime socialiste ne nie d'ailleurs les inégalités en son sein, tous prétendent qu'elles sont des « stigmates » de l'ancienne société et qu'elles sont vouées à disparaître. Marx et Lénine sont souvent invoqués pour justifier cette situation, que l'on attribue à l'application du principe : à chacun selon son travail. D'après cette doctrine, dans les premières phases on ne peut satisfaire chacun selon ses besoins, la répartition n'est donc pas égale. En jargon marxiste, on dit que le « droit bourgeois» subsiste. Plus tard, l'abondance des biens matériels, la disparition des classes et de l'État et l'habitude prise par les hommes de vivre collectivement permettront d'abolir les différences. Tel est le grand rêve communiste.

Notre propos n'étant pas de prêcher l'égalitarisme, nous ne porterons pas de jugement moral sur l'existence d'une hiérarchie salariale en Chine. Nous en avons d'ailleurs souligné les limites. Il faut simplement en montrer la réalité car le régime cherche à la minimiser. Nous devons dire par contre qu'il y a quelque imposture à la justifier par le principe de la rétribution des individus selon leur travail. Il s'agit de tout autre chose ici, que l'on pourrait formuler ainsi : à chacun selon son rang. Une échelle des traitements pour les fonctionnaires, avec tableaux d'avancement, ancienneté, indices [18], etc., n'est pas fondée sur la rémunération de travaux diversement qualifiés, c'est une méthode classique pour instituer une organisation échelonnée, graduée, subordonnée, qui sera le meilleur vecteur d'une autorité fortement centralisée. En effet des cadres soucieux de leur carrière et de leurs avantages seront sensibles aux pressions et plus portés à exécuter qu'à discuter.

Mais surtout, cet ordre ascendant des pouvoirs et des salaires, cette hiérarchie politico-administrative (car l'organisation du parti double celle de l'administration) a une conséquence capitale : *elle suffit à fonder l'existence de couches sociales aux intérêts économiques distincts.* Nul besoin d'être un grand théoricien pour découvrir qu'en régime de rareté relative, cela donnera inévitablement naissance à une lutte pour la répartition du produit social, dont tous les conflits politiques sont au fond l'expression concentrée. Ce fait brut, foncier, rigoureux, dément à lui seul tout ce qu'on peut nous dire sur la persistance des anciennes classes exploiteuses et l'analyse fantasmagorique des complots du Kouomintang. Encore faut-il préciser qu'aux privilèges salariaux et autres déjà cités, viennent s'ajouter de très importants éléments psychologiques, sociaux et politiques qui les rendent encore plus tangibles. Vivant autrement, dans

18. Cf. Doak-Barnett : *Cadres, Bureaucracy and Political Power in Communist China,* Columbia University Press, 1967. Il y a deux catégories d'hommes en Chine : les simples citoyens et les fonctionnaires. Cette dernière catégorie est vaste car l'État est propriétaire des entreprises, des banques, des moyens de communication, de la terre. Tous les détenteurs de responsabilités politiques sont automatiquement des salariés de l'État et leurs rémunérations s'intègrent au système en vingt-six grades. Le terme de *cadre* les désigne spécifiquement.

des endroits différents, le cadre chinois est forcément un être à part pour l'homme du peuple. Le terme de *ganbu* par lequel on le désigne ne résonne pas comme « les messieurs » du *Château* de Kafka, pourtant c'est un monde séparé qu'il évoque. Le cadre reçoit des bulletins infiniment plus riches en informations que *le Quotidien du peuple*, seule lecture des prolétaires. Des directives lui parviennent, accompagnées de considérations idéologiques qui lui donnent une vue d'ensemble de la situation nationale. Il sait. C'est très important dans un système qui contrôle rigoureusement les nouvelles et où le Pékinois moyen peut ignorer pendant des mois ce qui se passe à Canton, sauf s'il rencontre des voyageurs.

Lors des années difficiles qui suivirent le Grand Bond en avant, les fonctionnaires avaient des rations spéciales. Par exemple, ils fumaient et se reconnaissaient à cela, les cigarettes étant devenues très rares. Enfin et surtout, le cadre dirigeant une unité de travail — entreprise, bureau, école — dispose d'un pouvoir disciplinaire étendu. Peu importe qu'il en use ou non, qu'il en abuse ou non. Un chef, en Chine, décide que tel ou tel employé, ayant des problèmes idéologiques, doit subir la rééducation par le travail manuel, *laojiao,* c'est-à-dire qu'on lui imposera pour un an un travail correctif obligatoire : cuisine, vidange, terrassement.

Le chef peut prendre des décisions plus graves encore, comme de saisir le parquet pour qu'il envoie à la réforme par le travail manuel, *laokaï*[19], un

19. Pour la distinction entre *laojiao* et *laokaï*, voir le chapitre IV. Le travail manuel, *laodong,* est censé « prolétariser » la pensée ; car, en termes marxistes, le mode d'existence détermine la conscience. Cette pratique est extrêmement courante.

individu soupçonné de crime ou d'activité politique contre-révolutionnaire. Il n'y a pas de garantie juridique en Chine. Tous les témoignages concordent : les procès, quand procès il y a, sont de pure forme. Or, il suffit que ce vaste pouvoir existe pour créer du même coup un fossé entre dirigeants et dirigés. Quelle égalité peut-il y avoir entre un supérieur, fût-il bienveillant, et le subordonné qu'il a la possibilité dûment institutionnalisée [20] d'envoyer aux travaux forcés?

Malgré les apparences, que ce régime en trompe l'œil s'efforce de préserver, chacun comprendra qu'un tel contexte politique et social est explosif. Que le peuple soit invité, comme ce fut le cas au début de la Révolution culturelle, à contester les autorités, et c'est l'embrasement. Il est bien connu que la Chine devint à partir de 1967 le théâtre d'une lutte acharnée. L'assaut des Gardes rouges et des ouvriers contre le parti et l'administration fut violent, les combats parfois désespérés déchirèrent profondément le tissu social. En 1967 et en 1968, la guerre civile menaçait. C'est alors que Mao battra en retraite et déviera le mouvement vers cette momie politique décidément précieuse qu'est le Kouomintang. Il redonnera vie au mythe rituel du complot, cette feuille de vigne de la bureaucratie chinoise.

A la tête de ce régime, Hua Kouo-feng est un digne successeur, lui qui a su s'entourer de la traditionnelle panoplie des statuts de classe périmés, des complots

20. Une loi, publiée dans *le Quotidien du peuple* du 4 août 1957, donne à la direction d'une entreprise, d'une école, d'un quartier l'initiative d'envoyer un individu, sans procès, au *laojiao*. La simple approbation de l'échelon administratif ou gouvernemental supérieur suffit.

nationalistes et de la lutte contre les services secrets. Sans doute son habileté à évoluer dans ce domaine surréel mais implacable lui a-t-elle servi pour occuper son éminente position. Mais, avant d'en arriver là, nous verrons qu'il a dû traverser une série d'événements complexes et mouvementés.

ANNEXE DU CHAPITRE II

A. *Les instructions de Lin Piao concernant le Setchouan,
27 mai 1968.*

Le texte qui suit date du printemps de l'année 1968, cette
période cruciale où la Révolution culturelle change d'orientation. L'évocation du Kouomintang est une opération de
diversion destinée à brouiller les pistes. Le stratagème est
usé et, pour lui rendre quelque efficacité, Lin Piao va lui
donner une forme crue, passionnelle, destinée à frapper
l'imagination de ceux auxquels il s'adresse. Son style
hyperbolique vise à créer un climat d' « espionite ». Ce
document éclaire un trait caractéristique du maréchal : la
démesure, l'exaltation.

Son appel à « extirper ceux qui se cachent dans les coins
sombres » sera à l'origine d'une véritable chasse aux
sorcières dans tout le pays. L'année 1968 laissera aux
Chinois de très mauvais souvenirs, qui pèsent encore
aujourd'hui sur les rapports de la population et du
pouvoir. Seront visés les trop turbulents gauchistes du
Kouangtoung, mais aussi, comme l'indiquent ces instructions, des vétérans de la révolution tel Ho Long.

Accessoirement, on voit apparaître au troisième paragraphe un point de vue typiquement linpiaoïste : la
primauté de l'idéologie sur l'organisation. Beaucoup de
cadres ont été destitués pendant les deux premières années

de la Révolution culturelle et l'administration souffre de cette épuration. Qu'importe, dit Lin, l'étude idéologique en fera apparaître de nouveaux et de meilleurs.

Le texte est la transcription de directives données oralement.

« Le 27 mai, le vice-président Lin Piao a donné des instructions à Tchang Kouo-hua et Liang Sun-tcheou [*responsables militaires du Setchouan, J. D.*], en voici les points principaux :

La conférence des XX résoudra bien certains problèmes si elle pratique l'autocritique. L'alliance n'est possible qu'à cette condition. L'établissement de cette alliance conditionne la lutte contre l'ennemi. Au début il n'est pas mauvais de susciter un certain trouble. Les troubles troublent [*sic*] l'ennemi. Le travail se fait plus facilement en confondant l'ennemi.

La Révolution culturelle est excellente. Les renégats, les agents secrets et les faux communistes profondément dissimulés dans les recoins sombres sont en train d'être débusqués. *Liou Chao-chi* [*président de la République, J. D.*] *est un super agent secret de l'ennemi. Il a renié le parti quatre fois et il avait des liens avec le Kouomintang et les États-Unis* [*souligné par moi, J. D.*]. Les cadres qui ont renié le parti et qui créent des problèmes ne doivent pas être employés; on peut employer ceux qui n'ont que des problèmes idéologiques et qu'on a pu rééduquer.

Si la pensée de Mao Tsé-toung est correctement propagée et étudiée, des gens valables seront formés. Jadis nos soldats n'étaient pas formés par des écoles, ils se sont trempés dans la pratique de la lutte. C'est essentiellement par la propagation et l'étude de la pensée de Mao Tsé-toung que nous obtiendrons des cadres.

Le Setchouan est un repaire noir. Qui s'assemble se ressemble; les gens différents sont dans des groupes différents. *Li Ching-tchouan* [*haut dirigeant du Setchouan, adversaire de Mao et liouchaochiste, J. D.]* n'est pas un communiste, il s'est infiltré dans le parti... Ces gens nominalement sont communistes, en réalité ce sont des membres du Kouomintang. *Peng Chen [adversaire de Mao, première victime de la Révolution culturelle, maire de Pékin et membre du Bureau politique, J. D.]* aussi agissait de cette façon dans le Nord-Est. Il ne renforçait pas les forces principales, il ne se souciait que des forces armées locales. Jadis j'ai cru que le cas de Ho Long *[maréchal, vétéran de la guérilla, ministre et membre du Bureau politique, adversaire de Mao, aujourd'hui entièrement réhabilité, J. D.]* était une question de style de travail. Il est évident à présent qu'il s'agit d'un problème politique.

Il est bon d'exposer quelques mauvais éléments [1]. Mais il est insuffisant de frapper ceux qui sont à découvert. *Il faut aussi extirper ceux qui se cachent dans les coins sombres [souligné par moi, J. D.].*

Les cadres militaires travaillant dans les *danwei [entreprises, bureaux, unités de travail, J. D.]* doivent être promus sans hésitation s'ils ont rendu des services. Sans leur promotion, nous ne pouvons pas dominer la situation.

Une autre chose importante, c'est de faire du travail politique. On formera des cadres par la pensée de Mao Tsé-toung. Actuellement, il faut renverser certains cadres, ceux qui suivent la voie capitaliste, les renégats, les agents secrets, les mauvais éléments et les obstinés qui refusent de se corriger. On peut employer ceux qui ont rectifié leurs erreurs. Il faut beaucoup de cadres. L'armée doit devenir un creuset. »

Ce texte a été publié à Canton à titre d'information générale en juillet 1968 par le *Bulletin de combat unifié des trois armes,* organe d'un groupe plus ou moins dirigé par la

---

1. Il s'agit des gens classés dans les cinq catégories noires. Sous-entendu : les mauvais éléments déjà connus.

région militaire qui avait alors comme chef le linpiaoïste Houang Yong-tcheng.

> (Source : *Survey of China Mainland Press,* n° 42-47, 29 août 1968, et M. Y. Kau, *The Lin Piao Affair, op. cit.*[2].)

B. *Classes et couches sociales : le révélateur du cinéma chinois.*

Dans les mélodrames du XIXe siècle, la pauvre orpheline découvrait à la fin du roman qu'elle appartenait à une famille de princes ou de riches banquiers. Le bon sang ne se perdait jamais.

Il se trouve que le cinéma chinois actuel ne dédaigne pas ces scénarios, dans le style *la Croix de ma mère*, avec cette différence que l'orpheline y participe à la révolution et qu'à la scène finale elle retrouve un père qui est cadre du parti. *Filles du parti*[3], *Dangdenü,* est une production caractéristique à cet égard. On ne peut pas dire que ce type de film soit dû à l'influence de la « ligne noire révisionniste », puisqu'il a continué à être projeté pendant la Révolution culturelle. Il était de ces très rares œuvres que la vigilante Kiang Tsing avait jugées « correctes ». Citons aussi *Daji et son père*, qui retrace l'odyssée d'une fillette enlevée par des propriétaires fonciers. Recueillie et élevée ensuite par un paysan d'une minorité nationale, elle se découvre finalement fille de cadre. Ces thèmes ne sont pas propres au cinéma chinois; celui de la Corée du Nord s'en inspire également. Rien n'est plus révélateur de l'exercice du

---

2. Nous n'utilisons ici que des sources traduites en anglais et en français et donc vérifiables par tous. Outre leur parfaite éloquence, leur authenticité a été maintes fois démontrée au cours de la Révolution culturelle et de l'affaire Lin Piao.

3. Film de 1958. Réalisateur : Lin Nong. Studios de Tchang-tchouen.

pouvoir par une couche sociale différenciée que l'expression artistique de ces mythes. La réalité de la société chinoise apparaît à travers le symbole plus qu'à travers le contenu de ces films. Voilà qui vaut bien des études statistiques et illustre à merveille une phrase de Max Weber extraite des *Essais de sociologie* : « Les couches sociales solidement investies du pouvoir et du prestige forgent leur légende de manière à s'attribuer une qualité spéciale et intrinsèquement distinctive, généralement attachée au sang : leur sens de la dignité se nourrit à la fois de leur être propre et prétendu[4]. »

C. *Les désignations de classe.*
Extrait de *Pékin information*, n° 35, 2 septembre 1974.

A propos des paysans pauvres et moyens-pauvres
« Dans nos régions rurales a eu lieu après la Libération la réforme agraire, au cours de laquelle a été éliminée la propriété féodale des terres.

Selon la décision du parti et du gouvernement sur la détermination de l'appartenance de classe à la campagne, on a alors défini les catégories suivantes : les propriétaires fonciers, les paysans riches, deux classes exploiteuses renversées, les paysans moyens (paysans moyens-aisés, moyens, et moyens-pauvres), les paysans pauvres et les ouvriers (dont les salariés agricoles).

Après la réforme agraire a été lancé le mouvement pour les coopératives agricoles de production et les communes populaires; l'économie collective n'a cessé de se développer et le niveau de vie des paysans s'est sensiblement élevé. Les termes de « paysans pauvres et moyens-pauvres » que nous employons dans nos articles, ne définissent pas *leur actuelle situation économique, mais leur appartenance de classe telle qu'elle a été déterminée pendant la réforme agraire [souligné*

4. Max Weber, *Essays on Sociology*, Galaxy Books, 1958, p. 274.

par moi, J. D.]. Appartiennent encore à cette classe les pâtres et les pêcheurs pauvres et moyens-pauvres de nos régions d'élevage et de pêche. »

Actuellement, les nouveaux maîtres de la Chine essaient de limiter les inconvénients les plus flagrants de leur système. Un reportage paru dans le numéro 16 de *Pékin information*, daté du 24 avril 1978, donne quelques indications à ce sujet. Un responsable de l'administration universitaire interrogé déclare : « Plus de 70 % des nouveaux étudiants sont issus de familles d'ouvriers, de paysans pauvres et moyens-pauvres et de cadres ; 28 % sont fils ou filles de petits commerçants, de membres des professions libérales (professeurs, scientifiques et médecins) et de citadins pauvres. *Ceux qui viennent des classes exploiteuses ou dont les parents ont de mauvais antécédents politiques ou sont passablement douteux ne constituent qu'un nombre infime* [*souligné par moi, J. D.*]. »

« *A leur égard,* ajoutait l'administrateur, nous appliquons le principe du président Mao : l'origine de classe mérite d'être considérée mais ce n'est pas l'unique critère ; *ce qui importe c'est l'attitude politique.* » Voilà une excellente formule, tout à fait propre à recueillir l'approbation des militants étrangers à qui cette propagande est destinée et qui ne connaissent pas le dessous des cartes. Mais examinons de près les propos tenus. Seule importe l'attitude politique. Bien. Pourquoi se féliciter alors que les étudiants de « mauvaise origine » soient en nombre infime ? Il y a là une contradiction. Si l'attitude est le plus important des deux critères, pourquoi ne pas supprimer purement et simplement les désignations de classe en raison des abus qu'elles engendrent ? Car enfin, le personnage interrogé ajoute ceci : « Les quatre défendaient la théorie du lignage. Après avoir traîné dans la boue nombre de bons camarades, ils persécutaient aussi leurs enfants. » Le seul moyen d'éviter ce genre d'excès serait de ne jamais

mentionner l'origine, bonne ou mauvaise. Le régime depuis
1949 s'y est toujours refusé, ce qui maintient vive la source
de toutes les discriminations. Le ventre est encore fécond
d'où est sortie la bête...

Peut-on parler de racisme pour caractériser ces pratiques ? Non, évidemment, si l'on entend par ce terme le
refus d'individus présentant des différences biologiques.
Oui, par contre, si l'on voit dans le racisme une variante
d'un comportement agressif fondamental basé sur le refus
de l'Autre. L'affermissement du moi collectif et la défense
contre l'altérité reposeraient alors sur un mécanisme de
sécurisation qui remplirait également une fonction de
diversion idéologique précieuse pour les groupes au pouvoir. Albert Memmi observe à ce sujet : « L'exclusion
biologique n'a fait que remplacer l'exclusion théologique ; il
n'est pas impossible qu'elle soit relayée à son tour par
l'exclusion politique, par exemple. » Ces lignes nous
paraissent s'appliquer parfaitement à la société chinoise
actuelle.

L'objectivité commande de dire que depuis l'été 1978, la
« théorie du lignage » est fréquemment prise à partie dans
la presse officielle. Ceci ne peut qu'alléger le fardeau des
« catégories noires » et c'est un point positif. Mais la
théorie en question n'est qu'une excroissance du système
des désignations de classe et elle refera surface à la moindre
crise, aussi longtemps que celles-ci ne seront pas abandon-
nées. La rédaction du *Quotidien du peuple* a répondu
récemment à un lecteur que le principe suivi en la matière
était le suivant : « Nous tenons compte de l'appartenance
de classe mais nous n'en faisons pas un critère unique.
L'accent est mis sur le comportement [5]. » C'est tout le
problème. En fait le comportement seul devrait être
considéré. Gageons donc que le régime ne voudra pas se
débarrasser radicalement de l'hérédité politique, il aura
trop besoin, le moment revenu, de boucs émissaires.

5. *Pékin information*, n° 36, 11 septembre 1978, p. 20.

DEUXIÈME PARTIE

L'HISTOIRE OFFICIELLE
ET OFFICIEUSE DEPUIS 1973

Ouverture et continuité
Anciens et modernes

CHAPITRE III

LA MONTÉE DE HUA KOUO-FENG
L'ISOLEMENT ET LA CHUTE DES QUATRE

Le décor et les personnages.

Pourquoi l'obscur Hua Kouo-feng a-t-il succédé à Mao Tsé-toung ? Comment ce dirigeant provincial peu connu a-t-il réussi à vaincre ses adversaires pour se retrouver à la tête d'un parti de plus de trente millions de membres, à l'histoire tumultueuse, où se sont pressées et se pressent encore tant de hautes figures ?

C'est en août 1973 que tout a commencé, au lendemain du Xe Congrès. Un homme s'est élevé tel un météore au sommet du parti : Wang Hong-wen. Devenu vice-président, c'est lui qui recevra Georges Pompidou en septembre aux côtés de Mao. Jeune cadre communiste, l'un des initiateurs de la « révolution de janvier » à Changhaï en 1967, il a dirigé l'immense organisation de masse ouvrière qui a chassé les responsables municipaux et fondé le premier Comité révolutionnaire. Plus que tout autre, il représente la jeune génération forgée par la Révolution culturelle et destinée à assurer la relève. Avec deux autres Changhaïens, Tchiang Tchouen-kiao et

Yao Wen-yuan [1], il forme un groupe gauchiste très décidé à préserver l'esprit des premières années du mouvement. On les appelle, tout naturellement, le groupe de Changhaï. Plus tard, ils s'allieront à l'épouse de Mao, Kiang Tsing. On les appellera alors les « quatre » puis, sous Hua Kouo-feng, la « bande des quatre ».

Hua Kouo-feng est précisément un autre de ces hommes qui se sont élevés dans la hiérarchie au cours du même Congrès. Il vient d'entrer au Bureau politique, et en janvier 1975 sera nommé ministre de la Sécurité. Il a fait une longue partie de sa carrière au Hounan et passe pour un spécialiste de l'agriculture — et du maintien de l'ordre. Dans sa province, entre 1966 et 1972, il s'est vu contesté à droite et à gauche ; il a pu sauver un minimum d'administration et tant bien que mal assurer la vie économique. En 1968, devant l'hostilité d'un groupe ultra-radical, le *sheng-wulian*, il a usé de méthodes énergiques. Plus tard il est entré en conflit avec les responsables militaires locaux et progressivement, mais fermement, les a réduits, à mesure que sur le plan national pâlissait puis s'éteignait l'étoile de Lin Piao, le maréchal, chef des armées. Hua est très représentatif de ces cadres provinciaux qui ont combattu l'ex-ministre de la Défense et ont appuyé de toutes leurs forces la reconstruction du parti et le retour à la primauté du pouvoir civil. Il est typiquement un homme d'appareil. Les troubles, l'ébranlement des institutions l'ont

1. Membres du Bureau politique, tous deux membres du groupe chargé de la Révolution culturelle jusqu'en 1969. Tchiang fut mêlé à la « révolution de janvier 1967 » à Changhaï. Yao passait avant sa chute pour être l'initiateur de cette Révolution culturelle, censée avoir débuté le 10 novembre 1965 par un article qu'il écrivit contre le dramaturge Wu Han, protégé du maire de Pékin, Peng Chen.

exaspéré. C'est un administrateur qui croit avant tout à l'organisation. La lutte contre les hiérarchies, les mouvements de masse ont duré plusieurs années et ont engendré bien des difficultés économiques. Hua en mesure l'étendue et constate d'effarantes baisses de production; comme beaucoup de fonctionnaires, il espère que l'heure des managers va enfin sonner.

Hsu Shi-you est un militaire, un vétéran, un ancien de la Longue Marche, qui exerce le haut commandement à Nankin depuis plusieurs années. Localement, c'est une puissance. Gros, chauve, de longues incisives proéminentes qui lui donnent un air de lapin obèse : dans toute la Chine, on le surnomme Hsu Pang, Hsu la Barrique. Cible favorite de certains Gardes rouges en 1967 et 1968, il leur a résisté. En dépit de sa réputation de liouchaochiste, il n'a jamais été démis. Même Mao a dû composer avec lui, tant ses appuis dans le parti et dans l'armée sont nombreux. L'exercice d'un commandement délicat dans une province sensible est un atout, car il le rend presque irremplaçable. Aussi est-il toujours là en 1973, malgré les violentes offensives de l'été 1967 qui ont emporté tant d'autres dignitaires.

Hsu est vindicatif. L'heure venue, il a réglé quelques comptes : l'occasion lui en a été fournie par la campagne « contre les agents du Kouomintang ». Là, comme ailleurs, ses services de sécurité ont eu tôt fait de trouver dans les rangs adverses quelques rescapés du parti nationaliste ou, à défaut, quelques militants aux origines familiales suspectes. Mais la vengeance suprême de Hsu s'est exercée contre Lin Piao, sa bête noire, dont il a mis en échec les plans centralisateurs hostiles aux officiers régionaux. Hsu est un allié du Premier ministre Chou En-laï. A eux deux, ils ont sapé la position du maréchal, qui leur doit sa chute.

Chou En-laï est une grande figure de la révolution chinoise, un des plus anciens compagnons de Mao, un rebelle de la première heure. Il dirige depuis de longues années le gouvernement et il est un des principaux artisans du régime de fer qui a réussi à redresser la Chine sur le plan intérieur et extérieur. Pendant la Révolution culturelle, il a suivi le mouvement, mais surtout pour en limiter les dégâts. Principal adversaire de Lin Piao, il a fini par en triompher, après avoir convaincu Mao de sa malfaisance.

Tels sont les hommes dont l'action et les rivalités vont marquer les années suivantes. Quelle est la situation intérieure au moment où s'ouvre ce récit en août 1973? Idéologues radicaux, cadres et militaires provinciaux forment une coalition dont Chou En-laï est le fédérateur permanent. La commune hostilité à Lin Piao[2] l'a cimentée. Pour la comprendre, un bref coup d'œil rétrospectif est nécessaire.

---

2. Le lecteur familiarisé avec les textes chinois de l'époque récente s'étonnera peut-être d'apprendre que le groupe de Changhaï était hostile à Lin Piao. Depuis l'arrivée au pouvoir de Hua Kouofeng, la presse chinoise les associe en effet dans la même réprobation. Il est pourtant faux historiquement de prétendre que Lin et les Changhaïens étaient alliés. Rappelons simplement ici que le fameux document 571, *wuqiyi,* dans lequel se trouvaient consignés les plans de la conspiration du maréchal, prévoyait de faire assassiner Tchiang Tchouen-kiao, désigné comme un des principaux obstacles à sa politique (Voir annexe chap. VII, p. 259). La propagande de Hua, comme celle de tous les régimes marxistes, prend ceux auxquels elle s'adresse pour des amnésiques.

Lin Piao.

Ministre de la Défense nationale, dauphin de Mao
Tsé-toung officiellement désigné en 1969, Lin Piao a
attaché son nom à l'essor de la Révolution culturelle.
Il a animé le vaste mouvement d' « étude et d'application vivante des œuvres du président Mao » lancé en
1966. Il a pris des positions très radicales, a confec-
tionné le *Petit Livre rouge* et entraîné tout le pays
dans un culte sans limites du « grand timonier », une
liturgie permanente, à grand renfort d'exhortations
enflammées et de répétitions quotidiennes de stéréotypes et de maximes révolutionnaires. Lin a voulu
extirper le confucianisme, obstruer tous les canaux
par lesquels la tradition s'infiltre dans l'esprit des
nouvelles générations. Il a déversé dans le pays une
propagande massive et intense pour bouleverser « les
mœurs, les habitudes et l'idéologie ancienne ». Slogans, aphorismes, appels à l'activisme ont tout
envahi. On a pris l'habitude de se rassembler le matin,
avant le travail, devant le portrait du président, pour
lui souhaiter une longue vie. On fait de même au
début de tous les grands meetings. Aux rites et
maximes confucéens, Lin Piao a tenté de substituer
des maximes et des rites révolutionnaires. L'ennui est
que, ce faisant, il a créé un formalisme maoïste qui
ressemble comme deux gouttes d'eau au formalisme
confucéen. Suprême ambiguïté : Lin Piao a lutté
contre la tradition par des moyens hérités de la
tradition, et il a fait de Mao, paradoxalement, un
nouveau Confucius.

Mais Lin est aussi un homme d'action. En 1968, il
s'est chargé de la remise en ordre du pays. Gauchiste

lui-même, il a eu néanmoins le machiavélisme de
s'allier aux militaires régionaux les plus antigauchistes
pour écraser des groupes de Gardes rouges trop
turbulents, notamment dans la région de Canton. Son
homme lige, le chef d'état-major Houang Yong-
tcheng, s'est chargé de cette besogne sanglante. C'est
l'époque où des cadavres décapités arrivaient dans la
baie de Hong Kong, charriés par les eaux de la rivière
des Perles [3].

Or, pour rétablir une sorte d'équilibre et empêcher
que l'écrasement des gauchistes ne se solde par un
retour des tendances droitières et bureaucratiques, le
maréchal a dirigé le fer de lance contre les vieux
cadres trop embourgeoisés à son goût. En 1968, une
vague d'espionnite a secoué les rangs du parti. Une
chasse aux sorcières s'est engagée contre les anciens
des bases du Nord-Est, soupçonnés d'avoir renié le
communisme avant guerre et travaillé pour le Kouomintang; c'est ce que Lin Piao a appelé la « grande
abjuration de 1938 ». Simultanément, le dauphin a
introduit des militaires dans tous les rouages de
l'administration. Mais ses excès l'ont isolé. Malgré son
titre officiel de successeur de Mao Tsé-toung, il est
devenu la cible de toutes les oppositions à l'intérieur

---

3. Les gauchistes du Kouangtoung sont particulièrement visés
car ils ont été les plus farouches adversaires de l'armée en 1967 et
1968. Pour avoir le soutien des militaires, il faut accepter leurs
conditions : se débarrasser des milices radicales. La Chine est en ce
temps-là troublée, désunie, menacée de désagrégation interne, alors
que les menaces soviétique au nord et américaine au sud pèsent
très lourdement sur elle. L'ordre et la cohésion ne peuvent venir que
de l'armée, à condition qu'elle ne se fractionne pas. Pour maintenir
son unité, car elle est en même temps la base de son pouvoir
personnel, Lin s'allie donc aux régionaux qu'il n'aime guère.

du parti. Le président, alarmé par la militarisation croissante[4] du pays et l'ampleur des purges, lui a retiré son soutien. A Lushan, en 1970, Lin a dû s'incliner devant un Comité central en majorité hostile. Peu à peu, sa position s'est dégradée; la liturgie qu'il avait imposée a été abolie ainsi que sa politique envers les cadres.

C'est alors qu'à la fin de 1971 et dans le courant de 1972, une nouvelle s'est graduellement répandue en Chine, où elle a produit l'effet d'une bombe : Lin Piao, qu'on ne voyait plus en public depuis un certain temps, était mort le 13 septembre 1971 dans un accident d'avion. Il s'enfuyait vers l'U.R.S.S. après avoir tenté d'assassiner Mao. Le dauphin était un conspirateur et un traître.

Dans la population, traumatisée par les événements de 1968 et le fracas de la Révolution culturelle, cela eut l'écho d'un super-Watergate. « Le meilleur élève du président Mao », « son plus proche compagnon d'armes », celui qu'un Congrès unanime (eh oui, unanime), en avril 1969, avait nommé son successeur, était un félon. Rien n'était donc vrai de ce que l'on croyait évidemment être tel. Ce parti qui avait toujours raison s'était donné un contre-révolutionnaire comme vice-président. Et le président Mao, dont l'infaillibilité était un article de foi, s'était trompé. Ces notions, qu'une propagande effrénée avait fait entrer dans des millions de cerveaux enfiévrés par la Révolution culturelle, s'effondraient. Bas les masques! Quelque chose s'est brisé à jamais

---

4. Au IXe congrès, 45 °/₀ des membres du Comité central sont des soldats. Sur les 155 personnages les plus importants des bureaux provinciaux et des grandes municipalités, 93 sont des officiers.

en Chine à cette époque. L'imposture a éclaté, à la mesure des scepticismes que le récit de la mort de Lin Piao souleva jusqu'au Bureau politique, où le vice-Premier ministre Li Sien-nien l'aurait mis en doute. Le régime aujourd'hui encore ne s'est pas remis de cette épreuve, et nous verrons que certains conflits actuels ramènent invariablement au linpiaoïsme, à cette déchirure béante, sanglante, au flanc de la République populaire.

Pilin, Pikong [5].

En 1973, le choc de ces événements était loin d'être dissipé. Le Xe Congrès devait en faire le bilan et ouvrir une nouvelle phase de la vie politique.

Malheureusement, la coalition des vainqueurs était fort hétéroclite puisqu'elle réunissait des radicaux d'une part, des apparatchiks et des officiers aussi peu gauchistes que possible d'autre part. Les Changhaïens s'étaient opposés à Lin Piao dès 1968. Ils ne lui avaient pas pardonné d'avoir fait donner la troupe contre les Gardes rouges du Sud de la Chine. Pour eux, le maréchal était le « boucher de Canton ». Sa « trahison » n'avait d'ailleurs nullement désarmé la sourde hostilité des officiers régionaux à son égard. Et c'est à eux, aux ennemis de leur ennemi, que les Changhaïens s'étaient retrouvés paradoxalement alliés par simple haine de Lin Piao. Il n'y avait aucune logique dans leur attitude, puisque les militaires provinciaux étaient ceux-là même à qui le dauphin

5. Kong Fu-tse : Confucius. Mot à mot, donc : « critiquer Lin, critiquer Kong ».

avait immolé les gauchistes cantonnais, mais ce n'était pas la première fois que la politique chinoise tournait à l'imbroglio. Chaque groupe avait ses raisons de combattre le chef des armées et c'est cette espèce de front du refus singulier et fragile qui l'avait mis en échec à Lushan.

Après la mort de Lin Piao en 1971, la propagande officielle avait entamé sa critique en lui donnant une tonalité nettement antigauchiste. Ceci avait mis à l'épreuve la frêle coalition. En effet, aux yeux des Changhaïens, on risquait ainsi de discréditer la Révolution culturelle dont ils voulaient maintenir l'esprit et les acquis. Mao les soutint sur ce point : il fallait éviter que dans l'opinion publique la chute du dauphin n'apparaisse comme le résultat ou l'annonce d'une montée de la droite. Il intervint avec toute son autorité pour placer les radicaux à des postes clés : Wang Hong-wen devint le numéro deux du régime, Yao et Tchiang prirent en main les organes de presse. Son épouse, Kiang Tsing, assurait la liaison, car le président ne sortait plus guère de Zhongnanhaï [6].

Les thèmes politiques se transformèrent aussitôt. Un renversement idéologique s'opéra : critiquer le maréchal, ce n'était pas critiquer le gauchisme, mais critiquer l'extrême droite, car telle était l'essence de sa ligne politique. Sa chute, ce n'était pas la fin de la Révolution culturelle, c'en était le couronnement.

Certes, les apparatchiks étaient réhabilités en grand nombre, ils reprenaient leurs postes et l'appareil se reconstituait. Toutefois, on avait institué leur recyclage permanent dans les « écoles du 7 mai » (ainsi nommées à cause d'une directive publiée ce jour-là

6. Partie de la Cité interdite où résident les dirigeants.

par Mao), où grâce à la pratique du travail manuel ils se débarrassaient de leurs mauvaises habitudes de bureaucrates. Les universités étaient ouvertes en priorité aux jeunes ouvriers et paysans. Les médecins travaillaient à la campagne. La littérature et l'art, sous la direction de Kiang Tsing, « exaltaient le prolétariat et la révolution ». Ces conquêtes devaient être défendues et une nouvelle grande campagne idéologique s'engagea bientôt, orchestrée par les « quatre » : la critique de Lin Piao et de Confucius.

Pourquoi Confucius ? Parce qu'au fond l'ascension de Lin et l'apparition de la simili-religion dont le *Petit Livre rouge* était le bréviaire, résultaient de l'esprit formaliste hérité du sage de la Chine ancienne, qui pèse encore aujourd'hui si lourdement sur la société [7].

La propagande anticonfucéenne s'employait à exalter le rôle de l'empereur « légiste » Tsin Tche-houang. Cet empereur avait unifié la Chine et lui avait même donné son nom [8]. Or, les légistes s'étaient opposés

7. La propagande du parti, par un de ces raccourcis simplificateurs où elle excelle, résuma cela en deux « faits » qu'elle voulait accusateurs et accablants : Lin Piao avait calligraphié des maximes confucéennes et les avait apposées aux murs de sa chambre. On imagine mal Lin Piao, qui avait bâti sa carrière sur l'exaltation démesurée de Mao Tsé-toung et soulevé un tintamarre national et international à grand renfort de livres rouges, d'effigies du président, de noyés ressuscités et de sourds entendant grâce à sa pensée — on l'imagine mal faisant simultanément allégeance à Confucius, dans ce contexte exacerbé créé par ses soins. Cette accusation procède d'un raccourci de la propagande qui dispense d'une longue analyse des rapports complexes de la tradition et de la révolution. Ajoutons que c'est une habitude du régime chinois d'accuser les déviationnistes de cela même qu'ils voulaient combattre : ainsi Lin de confucianisme et les « quatre », plus tard, de représenter la bourgeoisie dans le parti.

8. Tsin, le nom de son royaume, a donné ensuite Chine.

aux disciples de Confucius qui avaient soutenu les dynasties locales et les principautés esclavagistes hostiles à l'unité nationale. Mais le but de ces évocations historiques, d'ailleurs souvent réinterprétées à la « lumière » d'un marxisme sommaire, était tout simplement de tracer un parallèle entre Mao et Tsin Tche-houang et de préparer l'opinion à des mesures centralisatrices analogues à celles de cette époque.

Ce renforcement du pouvoir central, Mao l'assura en frappant un grand coup, net et brutal. En janvier 1974, plusieurs des puissants commandants régionaux, installés à la tête de véritables fiefs, furent déplacés. L'insubmersible, l'indéboulonnable Hsu Shi-you quittait Nankin pour Canton; Tchen Si-lien, autre commandant bien incrusté, passait de Shenyang à Pékin. On adjoignait à chacun d'eux des commissaires politiques bien décidés à renforcer l'emprise des autorités centrales.

Le centre contre les provinces.

1974 vit cette ligne se durcir. Les journaux muraux reparurent à Changhaï et à Pékin; en février, toutes les provinces étaient gagnées par cette floraison. Ces placards mettaient en cause nombre de dirigeants locaux; les critiques les plus acides visaient un officier régional, devenu chef du département politique général de l'armée, Li Teh-sheng. Un provincial passé au centre et chargé des affaires de sécurité, Hua Kouofeng, ne fut pas épargné : il ne devait pas l'oublier.

Le centre contre les provinces. Une sorte de jacobinisme paraissait envahir la politique chinoise.

Cela aussi prolongeait la Révolution culturelle. A certains égards, celle-ci avait été un mouvement parti de Pékin et de Changhaï pour gagner l'intérieur, où il s'était heurté à des résistances durables. Les grandes métropoles urbaines contre les régions, ce schéma était l'inverse de l'encerclement des villes par les campagnes qui avait mené les communistes au pouvoir. La Révolution culturelle fut-elle une tentative d' « urbaniser » et de prolétariser un parti et un régime qui étaient essentiellement d'origine paysanne? On pourrait sur ce point se livrer à d'intéressantes analyses, mais qui sortiraient du cadre de cet ouvrage. Retenons seulement que le conflit centre/région était une vieille histoire et qu'il évoluait selon des lignes de force familières.

Des provinces entières étaient perturbées, tel le Henan dont le Comité révolutionnaire fut remanié. La ville de Tchengtcheou connaissait des incidents graves. Pourtant le printemps apporta une accalmie brutale, la tonalité radicale du mouvement s'apaisa et le souci de la production revint à l'ordre du jour. La perspective d'une réunion de l'Assemblée nationale populaire s'affirma. En été 1974, la presse indiquait que le Pilin Pikong devait favoriser l'unité et non la rompre. Il avait fallu une pluie de directives du Comité central et une tournée de Mao dans l'intérieur pour ramener un peu de calme, car la Chine venait de traverser des mois passablement troublés. La mise en cause des dirigeants locaux avait donné le branle à des mouvements de contestation très divers. Destinée à saper la position de bureaucrates provinciaux trop puissants, elle avait eu tôt fait de réveiller les vieux démons, à peine assoupis, de la Révolution culturelle. Les factions s'étaient reconstituées, des groupes partisans de défendre ou de renverser tel ou tel cadre du parti surgissaient. Les antagonismes régionaux, les problèmes salariaux, les questions de personnes parfois remontaient à la surface. Au Xe Congrès, Wang Hong-wen avait affirmé la nécessité d' « aller à contrecourant ». De fait, l'esprit grégaire avait exercé des ravages sous Lin Piao, qu'un Comité central fort suiviste avait unanimement consacré successeur de Mao. Hélas! Aller à contre-courant dans l'industrie, cela revenait à chahuter les cadres, à refuser le travail, à désorganiser un peu plus une production déjà éprouvée. Charbonnages, sidérurgie, transports avaient connu de graves perturbations. Revendications, conflits du travail et factions affleuraient de toutes parts. De nouveau, comme en 1967, le tissu social se désagrégeait. Ce schéma était trop familier à certains dirigeants, et tout cela n'allait pas sans opposition dans les hautes sphères.

Chou En-laï n'approuvait pas le dogmatisme des Changhaïens, leur mépris de l'ordre et des considérations économiques. Il était partisan d'une politique souple qui rallie le plus grand nombre de gens possible, alors qu'eux semblaient soucieux de n'épargner aucun cadre provincial. De telles divergences étaient difficiles à réduire et plus encore à camoufler. Entre le Premier ministre et les « quatre », c'était l'affrontement. Les lecteurs de la presse chinoise ne pouvaient manquer de comprendre qu'à travers leurs références historiques, bien des articles hostiles à Confucius étaient dirigés contre le chef du gouvernement. C'est l'art du compromis et le pragmatisme auxquels il excellait que visaient réellement les attaques quotidiennes contre « la théorie confucéenne du juste milieu ». Les critiques indirectes dans la

presse sont un trait caractéristique de la vie politique
chinoise. En effet, entre l'ésotérisme occasionnel et le
symbolisme souvent sommaire des revues théoriques
du parti, la dénonciation de Lin et de Kong fournis-
sait le prétexte à maints commentaires sur la situation
intérieure. Ainsi quand on accusait Lin Piao d'avoir
voulu « restaurer les lignées éteintes », on s'en prenait
à la réhabilitation d'un nombre imposant de dignitaires limogés à la fin des années 60 et investis de
nouvelles responsabilités. Les Changhaïens n'acceptaient pas le retour de ces hommes, dont Teng Siao-
ping[9], réintégré au gouvernement en 1973, était la
figure la plus marquante.

Comme ils ne manquaient pas d'influence à Pékin,
on soustrayait souvent les réhabilités à leur hostilité
en les nommant à de lointaines fonctions provinciales.
Ainsi, les apparences étaient sauves car ils étaient en
demi-exil, en demi-disgrâce aux marches de l'empire.
En fait, ils en profitaient pour constituer autant de
fiefs où ils assuraient leur autorité, bien à l'écart des
radicaux, ce qui ne pouvait qu'exaspérer davantage
ces derniers. Aussi avaient-ils essayé de soulever les
masses contre eux.

Un semblant de paix permit la réunion de l'Assemblée au début de 1975 ; Mao avait usé de son influence
pour l'obtenir. Il avait fait diffuser une phrase où il
invitait tous les Chinois à « avoir l'esprit détendu ».
La Révolution culturelle, disait-il, durait depuis plusieurs années et il n'était pas nécessaire de la
poursuivre avec toujours la même rigueur implacable.
Il freinait les radicaux. Le vieux président jouait un
jeu complexe ; tantôt il soutenait la gauche pour

maintenir la tension révolutionnaire, tantôt il appuyait le Premier ministre et favorisait la conciliation. Selon une idée qui lui était chère, il voyait dans ces contradictions au sommet « une unité de contraires », le moteur même du progrès et de la vie politique.

Cependant, selon ses propres théories, l'unité était relative et l'opposition des contraires absolue. Les événements allaient entièrement le confirmer.

Chou En-laï, malade, sortit de son hôpital pour prononcer à l'Assemblée un discours où il annonçait l'objectif des « quatre modernisations [10] » et l'intention de porter la République populaire aux premiers rangs mondiaux avant la fin du siècle. On se situait moins dans l'esprit de la révolution permanente que dans celui des premières années du régime. L'économie, plus que la politique, primait. De nouveau et pour quelque temps, le gauchisme reculait. Il semblait crucial à l'aube de 1975 de favoriser la renaissance d'un certain consensus national après les soubresauts des mois précédents. Et pourtant la situation allait continuer à se détériorer inexorablement.

La dégradation.

Le conflit couvait en réalité depuis que la maladie avait frappé Chou En-laï. L'irremplaçable Premier ministre allait mourir.

Un homme avait une expérience, des connaissances, une capacité de travail, une stature compa-

10. Moderniser l'agriculture, l'industrie, la défense nationale et la science.

rables aux siennes : Teng Siao-ping. Vétéran de la
Longue Marche, longtemps secrétaire général du
parti, Teng avait dirigé maintes délégations à Moscou
et avait été, à l'époque où la polémique sino-
soviétique faisait rage, un des plus redoutables adversaires de Mikhaïl Souslov, l'idéologue du Kremlin.

Néanmoins, il avait été une des premières victimes
de la Révolution culturelle. Dès 1966, son nom était
associé dans l'opprobre à celui de Liou Chao-chi.
Pendant de longs mois, les Chinois avaient scandé
dans tous les meetings : « A bas Liou et Teng! » Une
avalanche de caricatures les montraient tous deux
réprimant les masses, s'inclinant devant les sommités
étrangères, pratiquant l'économisme et toutes les
variétés du révisionnisme.

Dès 1968, on avait cependant commencé à dissocier
son cas de celui du président de la République. Le
bruit courait, en février de cette année-là, qu'un
rapport du pourtant très radical Tchen Po-ta [11] avait
été remis au président Mao, concluant que Teng
n'avait participé à aucun des complots de Liou et
qu'on ne pouvait rien retenir d'accablant contre lui.
Au IX⁰ Congrès, donc, l'ex-secrétaire général n'avait
pas été mentionné et bien qu'il eût perdu tout poste de
responsabilité, il était demeuré membre du parti à la
demande expresse de Mao Tsé-toung. Teng avait bel
et bien combattu la politique du président. Le Grand
Bond en avant de 1958 lui avait paru une folle

11. Ancien secrétaire de Mao à Yenan. Il fut le chef du groupe
chargé de la Révolution culturelle, directoire de fait qui gouverna la
Chine jusqu'en 1969. Exécuteur des basses œuvres de Lin Piao, il
contribua considérablement à l'épuration de 1968. Il entra en
disgrâce en 1970 après la réunion du Comité central de Lushan.

entreprise. Il avait été l'un des artisans les plus zélés de la consolidation du début des années 60 et des mesures empiriques prises alors pour redéployer l'économie. Mais quand il formulait des critiques, il le faisait ouvertement, franchement : il n'animait aucune faction secrète et, aux yeux de Mao, c'était très important. Le président avait donc donné son accord et il était revenu.

C'est que les mentalités avaient bien changé. Dans le parti, la folie meurtrière de Lin Piao avait suscité un dégoût très vif du radicalisme gauchiste et des idéologues délirants. La population avait beaucoup souffert : les pressions, la terreur de 1968 avaient engendré un immense découragement. Quelle liberté d'expression avait-on gagnée par la Révolution culturelle? Aucune, contrairement à ce qu'on espérait en 1966. En outre, la production n'avait que médiocrement progressé, voire baissé en raison des troubles. Les salaires demeuraient identiques, et si certains produits coûtaient moins cher, d'autres, vitaux, avaient augmenté [12]. Le programme des Quatre Modernisations trouvait un vaste écho : en finir avec les tensions idéologiques et la pagaille, adopter une nouvelle politique économique garante d'une vie meilleure et de la transformation de la Chine en un pays développé, cela devenait la grande aspiration populaire. Les Chinois comprirent que Chou En-laï incarnait cette politique et qu'il avait fait de Teng Siao-ping son lieutenant pour la mener à bien quand il ne serait plus là.

Les radicaux de Changhaï et Kiang Tsing ne l'en-

---

12. Ce qui permettait à la propagande officielle de proclamer que les prix étaient stables en se basant sur la moyenne des deux.

tendaient pas de cette oreille. Relancer la Révolution culturelle, la faire entrer dans une nouvelle phase active était devenu leur obsession. Trop de cadres, trop de vieux bureaucrates revenaient à des postes de responsabilité sans garantie politique. Teng en était, à leurs yeux, le prototype. Chou En-laï ne songeait qu'à développer la production et à mieux gérer l'économie, il ne se souciait guère des conquêtes du mouvement : les écoles du 7 mai, le recrutement des étudiants parmi les ouvriers, les paysans et les soldats, la littérature et l'art « prolétariens », etc. Toutes choses qu'il fallait défendre contre les « empiristes » de tout bord, faute de quoi le régime se bureaucratiserait très vite.

L'Assemblée nationale populaire avait adopté un programme général ainsi formulé : « La première étape consiste à édifier un système économique et industriel relativement indépendant [...] avant 1980 ; la seconde à achever la modernisation générale de l'agriculture, de l'industrie, de la défense nationale et de la science avant la fin du siècle afin que notre pays atteigne les niveaux avancés mondiaux. » Teng fut désigné pour le mettre en œuvre comme « premier des vice-Premiers ministres » et il prit place à la tête de l'état-major de l'A.P.L., l'Armée populaire de libération. Mais selon la loi de l'unité des contraires qui régissait le fonctionnement du régime, le radical Tchiang Tchouen-kiao était le second vice-Premier ministre et il remplaçait Li Teh-sheng comme chef du département politique de l'armée.

Le gouvernement de la Chine allait s'exercer d'une manière chaotique et contradictoire. D'un côté, des hommes ayant pour dessein de moderniser le pays, en tenant l'idéologie en laisse, de l'autre, des doctri-

naires, décidés à multiplier les campagnes révolutionnaires et à en appeler aux masses pour faire pression
sur la bureaucratie. Malheureusement pour eux,
depuis 1972, les appareils reprenaient toute leur
puissance, leurs cadres misaient à fond sur Chou En-
laï et sur Teng Siao-ping, et l'armée, dont le poids
politique restait énorme, les appuyait également, bien
décidée à la première occasion à se débarrasser des
maudits gauchistes et de leurs semblables qui l'exas-
péraient depuis 1966. Quant à la population, échau-
dée par l'aventure linpiaoïste, elle avait appris à se
méfier de la rhétorique radicale, toujours annonciatrice
de troubles et de violences qui finissaient invariablement par un certain nombre de pots cassés à payer,
par de la sueur, des larmes et du sang. De plus en
plus, les Chinois mettaient leurs espoirs en Chou En-
laï.

Les « quatre » ne manquaient pourtant pas
d'atouts. Mao les soutenait et ils tenaient en main la
presse. D'ailleurs les articles prenaient un ton révolutionnaire et théorique inédit. A l'époque de Lin Piao,
en effet, la presse était très militante, mais le
simplisme et le schématisme régnaient en maîtres. Là,
par contre, on analysait le « droit bourgeois » en
régime socialiste et la base sociale du révisionnisme. Il
était moins question de complot, on mettait en relief,
au contraire, l'assise matérielle des déviations apparues au cours des années précédentes : les inégalités
dans la société. Cela était sans précédent. A la chute
de Lin on avait prétendu qu'il représentait... les
propriétaires fonciers! Désormais c'était différent. On
se mettait à parler de l'existence d' « un État bourgeois sans capitalisme ». Depuis 1949, pour la première fois, on donnait à entendre que les différents

courants apparus dans le parti, les différentes « déviations » et les crises qu'elles avaient entraînées avaient
une base *interne* au régime, à ses structures, inhérente
somme toute à la *nature même de son État*. C'était une
révolution dans l'ordre idéologique. Ce faisant, les
« quatre » avaient abordé un sujet tabou.

En mars 1975, Yao Wen-yuan publiait un article
intitulé : « De la base sociale de la clique antiparti de
Lin Piao. » Il y faisait allusion à un complot, à des
organisations d'agents secrets et il écrivait de manière
rituelle que Lin et tous les révisionnistes incarnaient
les intérêts des « propriétaires fonciers et de la
bourgeoisie abattus ». Mais il ajoutait qu'ils incarnaient aussi les espoirs des « nouveaux éléments
bourgeois engendrés dans la société socialiste ». Ce
concept n'était pas une création de Yao, puisque *le
Drapeau rouge* l'employait en 1963 (nous verrons que
les épigones de Mao le conserveront), toutefois
l'idéologue changhaïen reliait l'apparition des « nouveaux bourgeois », non pas à la persistance des
« anciennes idées », *mais aux normes de répartition
dans la société socialiste elle-même*. Dès juin 1975,
dans le n° 4 du *Drapeau rouge*[13] on lisait ceci :
« [...] l'application d'une répartition calculée à partir
d'une unité de mesure unique pour des producteurs
inégaux entraîne inévitablement l'inégalité tout court.
Le droit égal traduit par la répartition selon le travail
est donc toujours, dans son principe, le droit bourgeois. Un tel principe de répartition, matérialisé sous
forme de *salaires,* divise les hommes en catégories
différentes. » Là était la nouveauté. On s'éloignait de

13. *Pékin information*, n° 22, 2 juin 1975 : « Une arme idéologique pour restreindre le droit bourgeois ».

la fameuse explication « policière ». On cessait d'agiter l'épouvantail du Kouomintang. Le droit bourgeois sous le socialisme, telle était la fontaine d'où coulait sans trêve le « révisionnisme ».

Yao Wen-yuan jouait gros jeu et il devait le payer très cher. Il avait trahi la loi non écrite des bureaucrates, selon laquelle le révisionnisme devait venir d'ailleurs ou n'être qu'une survivance du passé.

Mais peu à peu se créait une situation irréelle. La presse prenait un ton de plus en plus radical, tandis que parmi les cadres et une bonne partie de la population, on traînait les pieds, on se montrait sceptique, on renâclait.

Le problème de la jeunesse.

Les fameuses conquêtes de la Révolution culturelle se révélaient impraticables. Les écoles fonctionnaient mal et les usines plus encore. Un problème devenait aigu et empoisonnait l'atmosphère, celui des « jeunes instruits ».

Selon la réforme pédagogique née de la Révolution culturelle, les lycéens partaient, à l'issue du deuxième cycle, s'établir à la campagne, afin de se transformer en travailleurs et de ne pas être des privilégiés. Ils partaient parfois très loin et souvent ce départ était définitif. Leurs parents l'acceptaient fort mal. Les paysans qui les recevaient voyaient en eux des bouches supplémentaires à nourrir, et des bras inefficaces. L'hiver venu, ils les renvoyaient dans leur famille, qui les accueillait. Ni les parents, ni les paysans n'avaient le droit de faire cela, et ces jeunes n'étaient pas autorisés à résider en ville sans permis.

Tout cela était illégal. Devenus marginaux et manquant de ressources, les adolescents sombraient parfois dans la délinquance. Vols et coups de main se multipliaient dans la République populaire, alors que leur quasi-disparition avait été jadis une des fiertés du régime.

Aucun moyen d'échapper à l'exil en zone rurale, sauf en allant à l'université. Mais là, catastrophe, les fils de cadres étaient avantagés; par toutes sortes de pressions, de combines, de manœuvres diverses, les parents s'arrangeaient pour que leurs enfants ne partent pas trop loin ou pour qu'ils soient désignés pour aller faire des études supérieures et redeviennent des citadins. Ils bénéficiaient d'ailleurs d'un privilège « naturel », à savoir être issus d'un milieu familial de niveau culturel élevé. Donc, plus la presse parlait de lutter contre le droit bourgeois, les privilèges et les inégalités, et plus le Chinois moyen les voyait s'exercer à son nez et à sa barbe. Le cynisme florissant depuis l'affaire Lin Piao atteignit alors des sommets.

Un véritable séisme moral frappait la société. La propagande du parti paraissait de plus en plus abstraite. Un divorce inhabituel naissait entre la population et la presse du régime. Une immense crise idéologique sévissait. La Chine se mettait à ressembler à une quelconque « démocratie populaire » d'Europe orientale. La propagande officielle, jadis si efficace, était méprisée. A part Chou En-laï, que sa victoire sur Lin Piao avait rendu particulièrement cher, le prestige des dirigeants baissait. L'éthique socialiste s'effondrait littéralement : spéculation, tricheries dans les autobus, trafics, alcoolisme même devenaient de plus en plus courants.

Chou En-laï avait essayé de résoudre le problème des jeunes diplômés du secondaire en décidant qu'ils devaient tous gagner des campagnes proches du lieu de résidence de leur famille, mais les Changhaïens et Kiang Tsing s'étaient fort dogmatiquement opposés à lui sur ce point. Pour eux, le Premier ministre avait voulu saboter les « nouvelles conquêtes socialistes nées de la Révolution culturelle ». Chou y avait gagné un surcroît de popularité; les « quatre » commençaient, eux, à faire l'objet d'une véritable haine, d'autant que leurs analyses théoriques se terminaient toujours par des appels à renforcer la « dictature du prolétariat » et comprenaient maintes allusions à une future épuration des nouveaux éléments bourgeois. Et ces mots, depuis Lin Piao, faisaient peur.

Il apparut au printemps de 1975 que certains responsables interprétaient la lutte contre le droit bourgeois en zone rurale d'une manière très radicale. Dans le Kirin, les lopins individuels furent confisqués et les marchés locaux fermés. Ceci provoqua le mécontentement des paysans et stimula bien entendu le marché noir au-delà de tout ce qui était habituel. Ce vent de « communisation » inquiéta l'extrême gauche, qui y vit un sabotage de sa politique, destiné à la discréditer. En avril, Tchiang Tchouen-kiao écrivit un célèbre article : « De la dictature intégrale sur la bourgeoisie. » Il y expliquait que la Chine était loin d'être entièrement socialisée, que la propriété privée existait, ainsi que d'autres formes de propriété collective et étatique et que le droit bourgeois ne devait pas être supprimé, mais « graduellement réduit ».

Cet article, écrit avec une rigueur théorique inhabituelle et fort bien argumenté, faisait comprendre, avec

de nombreuses citations de Lénine et de Mao à
l'appui, que la dictature du prolétariat était une
« lutte prolongée ». Il indiquait que les différences
salariales existaient, que la répartition se faisait selon
le travail, et que le système marchand et les catégories
monétaires demeuraient prépondérantes. L'ensemble
n'était pas modifiable rapidement.

Fallait-il donc se résigner? Sûrement pas. Tchiang
poursuivait en désignant la cible : « les nouveaux
éléments bourgeois apparus dans le parti ». « L'embourgeoisement d'une partie des communistes et
surtout d'une partie des cadres dirigeants est suscep-
tible de nous causer le plus grand tort », disait-il [14].
Autrement dit : qu'on laisse les paysans tranquilles et
qu'on regarde vers les dignitaires. Et Tchiang s'en
prenait à mots couverts à certains qui « en sont venus
à tout convertir en marchandises, même leur propre
personne ». On sut plus tard qu'il visait Teng Siao-
ping.

La résistance aux « quatre ».

L'intéressé n'en eut cure puisque, le 5 mai 1975, il
réaffirmait à l'issue d'une réunion gouvernementale
que la lutte de classes et le renforcement du socialisme
étaient inséparables de la croissance économique. Il
soutint même que pour supprimer le droit bourgeois,
il fallait créer une base matérielle qui n'existait pas.
Autrement dit, l'égalité était souhaitable mais passait
par l'accroissement de la capacité productive du pays.
Pour lui c'était la seule priorité nationale.

14. *Pékin information,* n° 14, 7 avril 1975, p. 10.

A la fin de 1974, Mao avait voulu compenser la tendance à privilégier l'économie en recommandant parallèlement — toujours l'unité des contraires —, l'étude de la dictature du prolétariat et la critique du droit bourgeois. Il donna alors trois « directives », *sanxiang jieshi :* lutte de classes, unité dans la stabilité, croissance économique. Fallait-il mettre ces trois points sur le même plan ou les hiérarchiser? On reprocha à Teng, plus tard, d'avoir semé la confusion à ce sujet.

Ce dernier avait toujours eu son franc-parler. Même devant Mao Tsé-toung, il n'avait jamais mâché ses mots. Autant dire que les « quatre » ne l'impressionnaient guère. Le 29 mai, à une conférence de la sidérurgie, il n'hésita pas à les défier ouvertement. On lui prête ces paroles : « La dernière fois que j'ai parlé, on a dit que j'avançais un programme pour la restauration du capitalisme. Ceux qui tiennent ces propos sont là, et vous n'avez pas à les craindre. »

De plus en plus, les choses se passaient comme si les radicaux égrenaient au sommet leurs théories, d'ailleurs fort intéressantes, tandis que les cadres moyens et supérieurs suivaient empiriquement une ligne différente, consistant à remettre de l'ordre, à accélérer la production, à réhabiliter le maximum de gens critiqués par Lin Piao; bref à essayer de faire marcher le pays, qui en avait bien besoin, il est vrai.

Plus tard, sur les instructions de Teng Siao-ping, Hou Yao-pang, son collaborateur attitré dont nous reparlerons, rédigea un plan de travail pour l'académie des Sciences. On y lisait des lignes qui sonnaient comme une provocation : « Nul ne doit parler de lutte de classes dans le domaine scientifique et technique. » Dans un document en vingt points intitulé « De quelques problèmes liés au développement et à l'industrialisation », Teng lui-même présentait les trois « directives » comme le lien, *kang,* de toutes les activités. Il les plaçait, ô hérésie, à égalité.

Dans les universités, on avait haussé le niveau des examens d'entrée et renforcé la sélection. Les quatre dirigeants radicaux avaient donné beaucoup de publicité au geste contestataire d'un étudiant, Tchang Tie-cheng, qui avait refusé de composer et rendu copie blanche à une de ces épreuves. Son acte fut salué comme une manifestation de l'esprit révolutionnaire consistant à aller « à contre-courant ». Désormais, les dirigeants d'université n'allaient plus organiser les examens d'entrée qu'à la sauvette. Or les problèmes que posait le recrutement des étudiants étaient gigantesques.

Teng avait dit que l'arriération du pays en matière scientifique et technique et le faible niveau de l'enseignement se combinaient pour gêner les quatre modernisations. Le 7 mai, le ministre de l'Éducation Chou Yong-sin, un des multiples dirigeants réhabilités que l'on rencontrait dans les avenues du pouvoir, au grand dam du groupe de Changhaï et de Mme Kiang Tsing, avait déclaré qu'on ne pouvait exercer « la dictature du prolétariat sur la science ». Liou Ping, le recteur de l'université de Pékin, écrivit une lettre à Mao Tsé-toung où, en des termes souvent pathétiques, il demandait que soient rétablies certaines méthodes pédagogiques utilisées avant la Révolution culturelle. Le curriculum avait été modifié, la connaissance livresque critiquée et la durée des études réduite. Mais tout cela ne donnait que des résultats médiocres et beaucoup d'enseignants poussaient à la restauration des critères universitaires classiques [15] afin de former les cadres scientifiques et politiques dont la Chine avait besoin. Partout on se plaignait de la baisse du niveau culturel et de l'incompétence des nouveaux diplômés.

La montée du désordre.

Au cours de l'été 1975, un événement avait contribué à isoler et à discréditer la gauche. Celle-ci mettait l'accent sur l'édification de la milice, non sans l'arrière-pensée d'en faire une force capable éventuellement de contrer les chefs militaires récalcitrants. Toute l'A.P.L. craignait cette politique, qui lui paraissait en outre conduite dans un certain esprit aventuriste. Entre mai et juin, des conflits éclatèrent à Hangtcheou. Las de toucher des salaires immuables alors que certains prix augmentaient, des ouvriers peu sensibles aux théories sur la dictature du prolétariat et la limitation du droit bourgeois interprétèrent une nouvelle fois à leur façon le principe émis par Wang Hong-wen au Xe Congrès : « aller à contre-courant ». Ils réclamèrent donc des augmentations de salaire, ou

15. Lors d'un voyage en Chine en juillet 1977, nous avons visité de nombreux établissements d'enseignement. Les responsables d'universités paraissaient très impatients d'en finir avec tout ce qui leur interdisait de pratiquer une sélection ouverte et d'élever le niveau des études. Cette situation, que n'avait pas encore fondamentalement changée l'arrivée de Hua Kouo-feng, existait déjà à l'époque des « quatre » et faisait paraître plus creuse encore toute leur rhétorique sur l'école « révolutionnarisée », « bastion de la dictature du prolétariat ». Depuis, examens et sélection ont été rétablis sur la base de critères académiques plus stricts.

se mirent à pratiquer l'absentéisme dans des proportions rarement vues. La lutte contre la bourgeoisie dans le parti était quelque chose d'abstrait et on avait vu avec Lin Piao que ces appels à la lutte de classes finissaient parfois très mal. Par contre, avoir des augmentations ou se reposer un peu, cela c'était concret. La classe ouvrière chinoise manifestait ainsi, au moins par une partie de ses membres, son insatisfaction grandissante envers le régime, en même temps que son désintérêt pour le radicalisme gauchiste que lui distillait quotidiennement la presse du parti.

A Hangtcheou, les conflits prirent une vaste extension. La Constitution garantissait le droit de grève, les ouvriers en usèrent. La direction de la municipalité se scinda. Le « factionnisme » des époques antérieures réapparut dans de nombreuses usines, le personnel se divisant à son tour entre travailleurs et grévistes. Nombre d'entreprises furent paralysées. Le désordre emplit la ville et une partie des responsables locaux fit appel à l'armée. Les jeunes cadres de la municipalité, issus de la Révolution culturelle, s'indignèrent et firent appel à la milice. Eau, électricité, transports étaient interrompus, des groupes armés étaient au bord de l'affrontement. On se serait cru revenu aux moments les plus tragiques du mouvement : à Changhaï en 1966, à Wuhan en 1967. Wang Hong-wen vint à Hangtcheou ; comme il était prévisible, il appuya les forces regroupées autour de la milice. Les autorités municipales firent appel devant les organes centraux et le gouvernement.

Teng Siao-ping arriva alors en personne, accompagné de six mille hommes. Il rétablit un semblant d'administration et gagna, de ce fait, un surcroît de popularité, tandis que Wang Hong-wen passait désormais pour un trublion incorrigible. L'aspiration à l'ordre était devenue sensible dans la majorité de la population, qui craignait un retour des troubles et un abaissement du niveau de vie. L'expérience avait prouvé que c'était là le seul résultat des affrontements, que ni la liberté d'expression, ni la maîtrise des conditions de travail, ni l'amélioration de la vie quotidienne n'en étaient accrues. Revoir le chaos de 1967, finir par la dictature militaire, c'était la hantise des Chinois, et les radicaux, dans leur aveuglement idéologique, y menaient directement. Qu'ils aillent donc au diable avec leur Révolution culturelle, se disait l'homme de la rue !

La position de Wang Hong-wen fut très affaiblie par les événements de Hangtcheou. L'éditorial du 1er août 1975, célébrant l'anniversaire de l'A.P.L., cessa de le mentionner comme vice-président de la commission militaire, signe incontestable de recul politique. A Canton, des journaux muraux furent placardés qui l'attaquaient nommément (petit croc-en-jambe du général Hsu Shi-you qui ne l'aimait guère, on s'en doute). A cette époque, Louo Jouei-king et Yang Tchen-wu, deux officiers limogés pendant la Révolution culturelle, furent réhabilités [16] et reprirent du service. Les hommes d'appareil, civils et

---

16. Ces réhabilitations avaient un côté sensationnel : Louo Jouei-king, ancien chef de la sécurité, puis chef d'état-major, avait prétendument fait partie du complot du maire de Pékin, Peng Chen. Yang Tcheng-wu avait été également chef d'état-major, et s'était signalé en 1967 par des articles à la gloire de Mao, que le mot de dithyrambiques ne qualifierait que faiblement. En mars 1968, il fut sacrifié par Lin Piao à la suite d'obscures intrigues de palais, et accusé d'être un contre-révolutionnaire. Kiang Tsing avait aussi contribué à sa perte.

militaires, profitaient du moindre faux pas de la gauche pour pousser leurs pions.

Les « quatre » cherchèrent à reprendre l'offensive. Mao les appuya. Le vieux chef, très handicapé par la maladie, se rendait tout de même compte que le pouvoir de l'appareil grandissait et que la gauche se heurtait à des résistances très vives. Pouvait-il encore apprécier à sa juste valeur le rapport des forces?

Sur ses directives et selon une vieille habitude, on reprit « la critique du passé pour faire la satire du présent ». En septembre 1975, *le Quotidien du peuple* invita à relire le célèbre roman classique *Au bord de l'eau*. Le personnage de Song Kiang était présenté comme un « capitulard » et un « termite » qui « ronge la révolution paysanne ». Le journal y consacra un éditorial, le 4 septembre, assez clair pour qu'au-delà des allusions historiques et littéraires, tout le monde comprenne qu'il visait Teng Siao-ping.

Les radicaux usèrent jusqu'au bout de leur emprise sur la presse, mais leur position était minée. Ils étaient de plus en plus isolés. La population les considérait comme de dangereux apprentis sorciers et leur présence au sommet était mal tolérée. A tous les griefs des Chinois contre eux, s'ajoutait l'impatience devant la dictature qu'exerçait Kiang Tsing sur les arts et la littérature. Elle vantait la transformation révolutionnaire opérée dans ce domaine, mais depuis dix ans le bon peuple constatait qu'on lui présentait un nombre limité, presque invariable, d'opéras à thème révolutionnaire et que la création artistique n'était guère florissante. La même stérilité frappait le cinéma. D'une production relativement abondante en 1965 et en 1966, Kiang Tsing avait pratiquement tout rejeté à l'exception d'une douzaine d'œuvres qu'on jouait et rejouait à satiété. De nouveaux films comme *Rebelles malgré eux* avaient été interdits pour telle ou telle déviation. Très peu d'œuvres voyaient le jour et la population souffrait de cette aridité de la production culturelle, qui se répercutait sur ses conditions de vie, puisque les distractions, par la force des choses, ou plutôt par la volonté d'une seule personne, étaient raréfiées à l'extrême. Kiang Tsing, si populaire en 1967 et 1968, aux temps héroïques de la Révolution culturelle, passait maintenant pour une mégère tyrannique et haïssable, au point que même l'image révérée de Mao Tsé-toung en était affectée. Autrefois Lin Piao, aujourd'hui cette harpie, décidément, il y avait dans l'entourage du grand homme bien des gens désagréables.

Entre la mi-septembre et la mi-octobre, se tint une très importante conférence sur l'agriculture, dont le thème était de prendre exemple sur la commune de Tachaï, modèle national en la matière. Kiang Tsing y défendit des thèses radicales mais son discours ne fut pas officiellement publié. Teng y prôna les « trois directives », mais en insistant sur la croissance économique et en minimisant la lutte de classes. Hua Kouofeng, devenu ministre de la Sécurité et vice-Premier ministre, fut le troisième orateur. Il insista sur le développement des forces productives réalisé à Tachaï mais il souligna également les transformations opérées dans les rapports de production, notamment les rémunérations plus égalitaires. Il fallait, dit-il, augmenter d'environ cent par an le nombre des unités avancées de type Tachaï. Cela ne pouvait être atteint qu'à travers la lutte des classes, mais à condition qu'elle soit conduite par la « persuasion », l' « éducation », la « critique et l'autocritique » et non par des méthodes brutales. Hua Kouo-feng apparaissait ainsi entre les radicaux et les partisans de Teng comme un personnage centriste, apte au compromis, un peu à la manière de Chou En-laï.

La chute des « quatre ».

Au début de novembre 1975, en réponse aux lettres que lui avaient adressées le recteur de l'université de Pékin et le ministre de l'Éducation au sujet de la crise de la pédagogie, Mao suggéra une large discussion sur les campus. Mais les partisans des radicaux, bien organisés dans le milieu étudiant, monopolisèrent la parole et en peu de temps surgit une floraison de journaux muraux critiquant les deux hommes. Tous les placards présentaient leurs lettres et leurs plaintes comme une tentative de revenir en arrière, une attaque contre « les acquis de la Révolution culturelle ». C'était tarir la discussion à la source, l'étouffer sous le caporalisme intellectuel. Intimidés, les modérés et la droite n'osèrent se manifester et le « débat » tourna en déferlement d'invectives superficielles contre eux. La critique du « vent déviationniste de droite » était lancée. En décembre, et au début de 1976, les éditoriaux accusèrent de plus en plus nettement Teng (sans le nommer) d'avoir mis les « trois directives » sur le même plan. Mao était d'ailleurs intervenu et une nouvelle citation de lui circulait : « Stabilité et unité ne veulent pas dire suppression de la lutte de classes ; la lutte de classes, c'est l'axe qui entraîne tout le reste. » Il désavouait donc le premier vice-Premier ministre.

Les gauchistes se sentirent encouragés. L'appareil

leur avait mené la vie dure, il leur fallait compter avec les modérés et même une droite puissante, soutenue par des secteurs importants de l'armée et de l'administration, mais ils ne doutaient pas de surmonter l'épreuve. Ils auraient dû mieux mesurer la fragilité de leur position. Depuis la chute de Lin Piao, les cadres avaient été réhabilités en grand nombre, les structures étaient reconstituées, alors qu'eux étaient seuls au sommet. Les masses populaires se désintéressaient de leurs exhortations militantes; ils étaient devenus, sans s'en rendre compte, les vestiges d'une époque révolue, d'une Révolution culturelle qui avait lentement échoué. Peu à peu, ils se transformaient en une sorte d'écume sans consistance, flottant au-dessus d'une société et d'un parti qui les rejetaient. Aveugles à tout cela, ils allaient continuer dans la voie qu'ils s'étaient tracée, et de façon suicidaire déclencher l' « explication finale », qui les perdrait.

Tout fut précipité par la mort de Chou En-laï, le 8 janvier 1976. La Chine voyait disparaître son plus habile administrateur et celui qui avait tant bien que mal maintenu l'équilibre, dont elle avait bien besoin, entre radicaux et modérés. Mais pour les « quatre », c'était un ennemi et un obstacle majeur qui disparaissait. Innombrables avaient été les articles historiques où, par allusion, ils l'avaient critiqué. Innombrables aussi, en privé et à des meetings d'activistes, les appels de Kiang Tsing ou des trois Changhaïens à la lutte contre le « grand confucéen dans le parti », contre l' « homme du juste milieu », contre le « chancelier ». Quand, au printemps de 1973, Chou En-laï avait dû ralentir ses activités et entrer à l'hôpital, le numéro 11 du *Drapeau rouge* avait publié une étude historique qui évoquait sa situation en termes aussi malveillants qu'explicites. Il y était question d'un « Premier ministre de l'État de Tsin, Fan Souei, qui vacilla et demanda en 256 av. J.-C. la permission de rentrer chez lui, puis rendit son sceau pour raisons de santé [17] ». Une foule d'articles historiques opposait la dynastie esclavagiste des Tcheou (xıᵉ siècle av. J.-C. environ) au pouvoir de Tsin Tche-houang, l'unificateur de la Chine (identifié à Mao). Une similitude certaine entre le nom du Premier ministre et celui de la dynastie rendait le rapprochement manifeste. Ces allusions à peine voilées étaient parfaitement comprises des Chinois et elles suscitaient la haine envers les radicaux.

La mort de Chou En-laï allait causer un immense chagrin dans la population et précipiter la crise dans les organes dirigeants. Le souvenir est encore vif des importantes manifestations qui marquèrent le décès du Premier ministre. De fait, cet homme avait mérité quelque reconnaissance de ses compatriotes. Il avait travaillé avec succès à faire de la Chine un grand pays. Après avoir été le grand raccommodeur des excès de la Révolution culturelle, il avait remis debout une société gravement perturbée. Cependant, comme beaucoup d'hommes de sa génération, il croyait malheureusement au rôle indispensable du parti, dont il avait restauré les appareils sans trop se soucier de leur transformation et de l'abolition des privilèges de ses cadres. Toutes les violences du régime, toutes les exactions du parti ne s'étaient pas toujours accomplies contre sa volonté, loin s'en faut. Lui aussi avait du sang sur les mains. Mais cela, les Chinois, en 1976, y étaient moins sensibles, et ils pleuraient, avec

17. *Pékin information*, nᵒ 17, 29 avril 1976.

quelque raison tout de même, un des plus grands hommes de leur histoire.

Les « quatre », eux, mirent à profit cette mort pour attaquer derechef Teng, privé désormais d'un appui majeur. Le 6 février, *le Quotidien du peuple* le désignait comme « le représentant de la bourgeoisie qui est à l'origine du vent déviationniste de droite et qui a plus d'un trait commun avec les responsables critiqués et dénoncés durant la Révolution culturelle ». A l'université, entre-temps, la « critique de masse » battait son plein. Mais elle était factice [18]. D'autre part, c'était Hua Kouo-feng et non Tchiang Tchouen-kiao, comme ils l'avaient espéré, qui devenait Premier ministre par intérim, et cela avec l'accord de Mao qui ne souhaitait pas peser entièrement du côté radical. Hua Kouo-feng savait limiter l'influence des « quatre » et il aurait de plus en plus l'occasion de le prouver. Le Bureau politique était paralysé par les désaccords et *le Quotidien du peuple* du 17 février mentionnait une scission du Comité central. Cependant, la critique continua. A l'université, le terme « grand responsable suivant la voie capitaliste » fut remplacé sur les affiches par des étiquettes où les trois caractères du nom de Teng Siao-ping figuraient clairement. Le 1er avril, ses photos disparurent des lieux officiels. Mais la résistance était forte et des journaux muraux attaquèrent Kiang Tsing à Canton. Cette opposition allait apparaître avec plus de vigueur encore lors des journées des 4 et 5 avril 1976 qui allaient ébranler la Chine et révéler au monde l'ampleur de la crise.

Beaucoup de choses ont été écrites à propos des

18. Voir l'article d'Alain Peyraube dans *Tel Quel*, n° 66, 1976.

manifestations qui eurent lieu sur la place Tien-an-Men, lors de la fête des morts. Elles furent l'occasion d'un hommage massif à Chou En-laï et à sa politique. Elles furent aussi un défi au groupe des « quatre », une démonstration d'opposition à la critique de Teng Siao-ping et le premier signe du rejet par nombre de Chinois de l'orientation maintenue par Mao Tsé-toung. Certains des manifestants — très nombreux, plusieurs dizaines de milliers — qui occupèrent la place et s'en prirent aux soldats, à la police et à la milice, en scandant le nom de Chou En-laï, étaient hostiles non seulement aux idéologues radicaux et à Kiang Tsing, baptisée par eux l' « impératrice », mais au président lui-même. Un des poèmes apposés sur les couronnes en hommage à Chou, portait cette phrase : « Elle est morte à jamais, la société féodale de Tsin Tche-houang. » Selon des observateurs résidant à Pékin, un grand portrait de Chou En-laï fut fixé sur le mât du drapeau qui flotte sur la place. Il fut délibérément placé plus haut que celui de Mao qui se trouve au centre de la tribune à l'autre bout de l'immense esplanade. Un autre poème s'adressait au disparu en ces termes : « Quand nous t'avons perdu, nous avons tout perdu » et, là encore, la formulation originale était telle qu'elle pouvait passer pour un défi voilé au président.

Pour beaucoup de Chinois, la critique de Teng remettait en question les « quatre modernisations », c'était le risque d'un retour aux tensions et aux excès de la fin des années 60. Il avait fallu subir Lin Piao, puis aujourd'hui Kiang Tsing et ses trois mousquetaires, c'en était trop. Le prestige de Mao Tsé-toung sortit passablement écorné des incidents de la place Tien-an-Men.

Le récit de ces journées a souvent été fait, jusques et y compris par l'agence Chine nouvelle, avec un luxe de détails très inhabituel de la part de cette publication. On le trouvera dans ses dépêches du 7 avril 1976.

Les hommes au pouvoir agirent alors avec une maladresse confinant à la balourdise. Surpris vraisemblablement par l'ampleur de la foule et le côté spectaculaire de la manifestation, ils ne réagirent que très peu au début, se contentant de dépêcher des soldats pour protéger le siège de l'Assemblée nationale populaire. Dans la nuit, ils firent enlever les couronnes, et le 5 au matin les Pékinois le constatèrent en se rassemblant de nouveau à Tien-an-Men. Ceci déclencha leur colère et des violences qui durèrent toute la journée : attaques de casernes, voitures brûlées, policiers molestés. Quelques renforts furent dépêchés mais aucune répression d'envergure ne fut entreprise ; celle-ci commença à la tombée de la nuit, alors que les manifestants n'étaient plus que deux à trois mille. Pour toutes les polices du monde, frapper des quidams après la dispersion des cortèges semble être la règle. C'est ce que firent, cette nuit-là, les miliciens de Pékin venus occuper la place. Si l'on en croit certains témoignages il y eut de nombreux morts par bastonnade. Cela arrêta les démonstrations mais porta le mépris envers les équipes dirigeantes à un nouveau sommet, le maire Wu Teh et le chef de la région militaire Tchen Si-lien étant les premiers visés par l'opprobre populaire. N'oublions pas que Hua Kouo-feng dirigeait le gouvernement par intérim.

La conséquence politique immédiate des journées d'avril 1976 fut la destitution officielle de Teng, rendu, on ne sait trop pourquoi, responsable des incidents. On annonça la nomination de Hua Kouo-feng au poste de Premier ministre. Là encore Mao n'avait pas fait confiance à Tchiang Tchouen-kiao, et lui avait préféré le conformiste administrateur du Hounan. Sur sa proposition et par exception dans l'histoire du parti, celui-ci était désigné comme le premier des vice-présidents du parti. Hua Kouo-feng est donc justifié, aujourd'hui, à dire qu'il fut choisi du vivant du président comme son second. Mais Mao avait aussi soutenu les radicaux bien souvent et la chute de Teng, c'est lui qui l'avait consacrée. Les « quatre » étaient fort isolés, et le discrédit qui s'attachait à leur nom s'étendait à leur grand allié, ce qui en disait long sur l'état d'exaspération des Chinois. La sagesse eût commandé de faire marche arrière, de modérer le cours de la politique entamée, de chercher une alliance avec Hua Kouo-feng et le centre, de regagner l'appui du peuple. Les « quatre » mirent au contraire le cap sur l'abîme. Furieux que Hua ait pris le poste convoité par Tchiang, ils décidèrent de saper sa position en le faisant passer pour un homme incapable de maintenir l'ordre dans le pays. La contestation de divers cadres provinciaux reprit avec violence. Les articles historiques dirigés jadis contre Chou En-laï prirent son successeur pour cible privilégiée. Un de ces textes l'attaquait en ces termes : « A l'âge de cinquante-six ans, Confucius, alors ministre de la Sécurité publique, devint Premier ministre intérimaire de l'état de Lou et feignit de comprendre l'agriculture et de se soucier du bien-être du peuple. » On sait que tels étaient l'âge et la réputation de Hua.

En maintes provinces dirigées par des dignitaires réhabilités, des groupes d'activistes recommencèrent à coller des affiches contre eux. Des mots d'ordre confus et contradictoires circulaient : des factions se réformèrent en certaines zones reculées, pillant et saccageant comme aux plus beaux jours de 1967. Au Foukien, Pi Ting-tchouen, chef de la région militaire de Foutcheou, périt. *Le Quotidien du peuple* annonça qu'il était mort en martyr. Accident d'hélicoptère, dirent les uns, attentat gauchiste, murmurèrent d'autres voix de plus en plus nombreuses [19]. Le désordre s'étendit. Les journaux centraux multipliaient les articles appelant à s'appuyer sur la classe ouvrière pour approfondir la critique du « vent déviationniste de droite ». La politique suivie depuis trois ans pour rétablir les règlements d'usine, accentuer l'émulation et stimuler la production fut mise en pièces. Ce fut désastreux. Les ouvriers se désintéressaient de la critique de Teng et de la transformation des équipes dirigeantes, mais les règlements étaient bafoués, l'absentéisme montait en flèche. Des entreprises fermaient purement et simplement, incapables de produire. Tchengtcheou fut de nouveau paralysé. L'approvisionnement de tout le pays souffrait. Louoyang et sa fabrique de tracteurs, la plus grande de toute l'Asie, étaient également bloqués. Pendant ce temps, l'état de Mao Tsé-toung s'était brusquement aggravé et, à partir du 15 juin, sa faiblesse devint si grande qu'il dut garder la chambre. En fait il entrait en agonie.

L'atmosphère était celle, apocalyptique, d'une fin de règne que vint renforcer, à la fin de juillet, le terrible tremblement de terre de Tangchan.

Le 9 septembre à l'aube, Mao Tsé-toung mourait.

---

19. Persécutions de la bande des « quatre », dira laconiquement la version officielle plusieurs mois plus tard.

C'était le jour anniversaire de l'insurrection de la moisson d'automne qu'il avait dirigée quarante-neuf ans plus tôt. Les « quatre » se retrouvaient seuls, privés du prestige du grand homme qui les avait jusque-là protégés. Le temps d'organiser les funérailles et, le 6 octobre, ils furent chassés du pouvoir. Ce jour-là, la camarilla augmentée de quelques fidèles s'était réunie dans une villa à l'ouest de Pékin. Tous les gens présents furent encerclés et mis en état d'arrestation sur l'ordre de Hua Kouo-feng. A partir du 8, les attaques contre la « bourgeoisie à l'intérieur du parti » se raréfièrent et l'on annonça que Mao reposerait dans un mausolée. L'arrestation des « quatre », devenus la « bande des quatre », ne fut révélée officiellement que plus tard. Mais la nouvelle circulait de bouche à oreille dès le lendemain. Les journaux reprirent souvent une citation de Mao appelant « à pratiquer le marxisme et non le révisionnisme, à travailler à l'unité et non à la scission, à faire preuve de franchise et de droiture et à ne tramer ni intrigues ni complots ». Chacun comprit qu'elle était utilisée contre le quarteron. Le 9 octobre, des affiches annoncèrent la désignation de Hua comme président du parti. Il avait succédé à Mao Tsé-toung deux jours auparavant, à la suite d'une réunion du Bureau politique.

La Révolution culturelle était terminée. Elle s'achevait par le discrédit de la gauche. Le peuple chinois applaudit à l'arrestation de ses chefs. La plus ambitieuse entreprise révolutionnaire de l'histoire, qui devait transformer « l'homme dans ce qu'il a de plus profond », avait échoué.

ANNEXE DU CHAPITRE III

Cryptogrammes et paraboles de la presse chinoise.

Lorsque Eisenstein mettait en scène *Ivan le Terrible,* chacun comprenait qu'il s'agissait de Staline. Recourir à l'histoire pour commenter le présent est également habituel en Chine populaire. En 1962, une pièce de théâtre présenta l'histoire d'un fonctionnaire qui s'opposait à l'empereur; elle évoquait indirectement Peng Teh-huaï se dressant contre Mao. Les idéogrammes facilitent en outre les jeux de mots, les phrases à double sens et les messages codés.

Le texte suivant contient trois attaques assez transparentes contre Chou En-laï. La première, au début de l'extrait, évoque Confucius malade, « se traînant auprès du chef de l'État de Lou pour envoyer une expédition punitive ». Chou En-laï, alors atteint d'un cancer, demeurait constamment à l'hôpital mais il lui arrivait de se lever pour recevoir des hôtes étrangers et, en deux ou trois occasions, il sortit pour aller voir Mao. L'expression « offense aux rites des Tcheou » est la seconde allusion; elle repose sur la similitude des noms. Enfin, le « Confucius encerclé par les masses en révolte contre Wei » n'est autre que le Premier ministre, dont les bureaux de Zhongnanhaï furent effectivement encerclés en été 1967 par de très nombreux Gardes rouges qu'il réussit à convaincre de rentrer chez eux.

Au paragraphe suivant, l'allusion au chef de la police et Premier ministre par intérim ne laisse aucun doute sur l'identité de la personne réellement visée.

———

Qui était Confucius en réalité?
par le groupe de critique de masse
de l'Institut Tsinghua

(Extraits du *Drapeau rouge* n° 4, repris par *Pékin information*, n° 27, 8 juillet 1974.)

« Confucius avait soixante et onze ans et était cloué au lit par une sérieuse maladie, quand il apprit que les propriétaires fonciers de l'État de Tsin avaient tué le duc Kien, chef des esclavagistes de cet État, et pris le pouvoir [1]. Pourtant, il fit des efforts désespérés pour se lever et se traîner auprès du chef de l'État de Lou afin de le presser d'envoyer une expédition punitive.

Son hostilité au nouveau et ses efforts acharnés pour empêcher l'ancien de sombrer atteignirent la paranoïa. Sa manie de « retourner aux rites », c'était une volonté maladive de ramener l'histoire en arrière!

Un escroc politique.

Individu sinistre et retors, Confucius, qui prétendait « aimer le peuple », était en fait résolu à défendre et à restaurer la politique mangeuse d'hommes du système esclavagiste. Il prêchait à longueur de journée la bienveillance et la justice, ainsi que le juste milieu, il ne tuait pas les oiseaux au nid, ni ne pêchait avec une ligne trop forte munie de trop nombreux hameçons. En apparence, non

---

1. Les représentants de la classe montante des propriétaires fonciers de l'État de Tsin moulèrent en 513 avant J.-C. un tripode de fer sur lequel étaient inscrites des lois, qui fixaient certaines limites à l'arbitraire des esclavagistes, et étaient portées ainsi à la connaissance de tous. Confucius s'y opposa furieusement.

seulement c'était un homme qui aimait ses semblables, mais aussi un amoureux des petits oiseaux et des poissons! En réalité, c'était un monstre sanguinaire au cœur de pierre. Croyant agir avec « bienveillance », un de ses disciples prépara de la bouillie d'avoine pour des esclaves qui trimaient. Considérant cela comme une offense aux « rites des Tcheou », Confucius entra dans une rage folle et envoya immédiatement des gens pour casser le pot et les bols et renverser par terre la bouillie. Voilà ce que Confucius appelait être « un homme bienveillant qui aime tous les gens ». Fieffé hypocrite!

Confucius se mettait en quatre pour prêcher la « sincérité ». Il disait qu' « un homme qui n'est pas sincère ne peut réussir dans la vie », et il voulait ainsi se faire passer lui-même pour le plus sincère des hommes. La sincérité en fait a toujours un caractère de classe. Celle de Confucius n'était qu'un truc par lequel les esclavagistes cherchaient à rouler le peuple. En fait, il reconnaissait que « l'homme de qualité ne cherche qu'une chose, défendre la juste voie, et pour cela il n'est pas tenu de respecter sa parole ». En d'autres termes, on peut dire n'importe quel mensonge et commettre n'importe quelle perfidie, du moment que ça va dans le sens de la doctrine contre-révolutionnaire « se modérer et en revenir aux rites ». Alors qu'il se rendait dans l'État de Wei, Confucius fut encerclé par les masses en révolte contre Wei, et fut empêché d'aller plus loin. Il jura sur le ciel que, si on le laissait partir, il ne se rendrait pas dans l'État de Wei. Il réussit ainsi à convaincre les masses de le laisser passer. Mais sitôt libre, il se rendit en catimini auprès du chef de l'État de Wei, lui communiqua toutes les informations voulues sur la révolte, lui fit des suggestions, et pressa l'État de Wei de réprimer les insurgés par les armes. Vous promettre des choses en face, et vous poignarder dans le dos, voilà la « sincérité à la Confucius »!

Tous les escrocs politiques font toujours très attention à bien flairer comment vont les choses, à bien prendre le vent et à se composer des attitudes différentes adéquates aux différentes situations. Confucius ne faisait pas exception. Un coup d'État eut lieu dans l'État de Lou en 501 av. J.-C., qui renversa les propriétaires fonciers alors au pouvoir. A cette nouvelle, Confucius tomba en extase et dansa de joie. Il vit là l'occasion de faire faire un grand pas à son programme de « retour aux rites », et, dès lors, clama qu'il « fallait faire renaître dans l'Est [c'est-à-dire dans l'État de Lou] les institutions des Tcheou ». Il avança donc un plan d'action en vue d'une restauration contre-révolutionnaire. Mais le pouvoir issu de ce coup d'État n'eut qu'une très brève existence. Cachant alors tout ce qu'il avait fait pour le soutenir, il réussit à gagner la confiance des propriétaires fonciers de cet État, et fut nommé bientôt à l'important poste de chef de la police et de Premier ministre par intérim. »

―――

La succession de Mao fut évoquée dans d'autres articles avec beaucoup de transparence. Citons cet extrait de « Étudions l'expérience historique de la lutte entre confucéens et légistes »; signé Lian Siao, ce texte a paru dans le numéro 10 du *Drapeau rouge* (dans la version de l'histoire chinoise propagée par les radicaux, les légistes étaient tenus pour des révolutionnaires, Confucius pour un esclavagiste).

« Après la disparition de Tsin Tche-houang [c'est-à-dire Mao], l'impératrice [Kiang Tsing], l'empereur Wen [peut-être Wang Hong-wen] et leurs successeurs vont poursuivre la lutte légaliste [...] à des postes importants de l'appareil d'État central. L'existence au centre d'un tel groupe dirigeant pendant une longue période fut la garantie de la poursuite de la lutte légaliste [...] C'est pourquoi les forces restauratrices de propriétaires d'esclaves les considéraient comme le plus grand obstacle à leurs ambitions. »

Avant la chute des « quatre », d'autres études « historiques » s'en prirent à des « dignitaires » de province et à des « eunuques opposés au pouvoir central »; évidente référence à la résistance rencontrée par les radicaux dans l'intérieur, notamment dans les lointaines provinces où des cadres réhabilités exerçaient leurs responsabilités (sans parler des militaires régionaux tel Hsu Shi-You à Canton). On était bien loin de la critique de Lin Piao et de Confucius.

Ces attaques indirectes sont à la fois dans la tradition chinoise et dans celle du mouvement communiste international. Pendant un temps, on a critiqué le dirigeant communiste américain Browder, alors qu'en fait c'est le Yougoslave Tito qui était visé. Dans les années 60, les communistes chinois attaquaient ce dernier alors qu'en fait ils visaient Khrouchtchev. Ce style indirect permet de préparer l'opinion à une rupture pendant qu'on s'efforce de créer un rapport de forces favorable.

CHAPITRE IV

GALERIE DE PORTRAITS

LES GARDIENS DE LA TRADITION

Hua Kouo-feng.

Le nouveau maître de la Chine est hiérarchiquement Hua Kouo-feng. Son prénom semble l'avoir prédestiné, puisque Kouo-feng signifie « fer de lance national ». Président du parti et Premier ministre, il est officiellement le numéro un. Pour bien comprendre cet homme relativement jeune — âgé de cinquante-six ans, il évolue dans un milieu de septuagénaires —, il faut souligner sa formation de responsable provincial. Ses premières armes, il les fit au Hounan dès 1949 ; c'est en 1956 qu'il devint un haut cadre, *gaoqe ganbu.* Sa vision du monde s'est donc formée au contact des réalités de la construction du socialisme dans ce qu'on pourrait appeler la Chine profonde. Hua est un homme d'appareil, mais fidèle à la tradition maoïste des « enquêtes à la base », il est de ceux qui sortent de leur bureau et vont recueillir des données sur place. Oksenberg et Yong ont minutieusement étudié sa carrière avant la Révolution culturelle [1]... Il en ressort que, tout en ayant l'activité administrative

1. *China quarterly,* n° 69, mars 1977.

classique de celui qui reçoit des informations et des statistiques diverses et les transforme en normes d'action, Hua Kouo-feng n'est pas un rond-de-cuir. Il fut au Hounan un cadre mobile, présent sur le terrain, désireux de connaître le fond des choses. Tel est l'héritage de la période révolutionnaire dans les zones libérées, l'héritage de Yenan que cultive le parti communiste chinois. Fonctionnaire, mais bon maoïste, pas nécessairement bureaucrate, voilà l'image qu'il a acquise à l'époque du Grand Bond en avant. Hua, par ses discours et son travail, a soutenu l'entreprise alors que le principal dirigeant local, Chou Siao-tcheou, restait fort tiède à l'égard de ce mouvement. Hua passe même pour avoir fourni à Mao des documents relatifs à sa province qui lui permirent de contrer les adversaires du Grand Bond en avant au Comité central. Le Hounanais paraissait alors désireux de lancer les campagnes dans la voie du progrès et de la croissance mais de manière réaliste, en restant prudent. Au total, il s'est forgé à l'époque la réputation d'un cadre efficace, très représentatif de la masse de ces hommes qui gèrent sans ménager leur peine, portés par un idéal maoïste auquel ils adhèrent sans sombrer dans l'utopie et sans vouloir brûler les étapes.

L'agriculture n'est pas le seul domaine familier au président Hua Kouo-feng, il a également abordé les secteurs financiers et commerciaux, les affaires culturelles et militaires (en 1965, il organisa l'aide au Vietnam dans le cadre régional). Il est donc ce que les Américains appellent un *political generalist,* un polyvalent de la politique.

Il y a plusieurs façons d'être maoïste, car l'héritage du président disparu est contradictoire, mais en définitive la seule qui se soit imposée est la fidélité au rôle dirigeant du parti. Mao a singulièrement mis à mal l'appareil, au point qu'en 1967 il était totalement démantelé, mais aux moments cruciaux, il a toujours penché en faveur de la sacro-sainte organisation, quitte, nous l'avons vu, à agiter le spectre du Kouomintang. Pour nombre de cadres et de militants formés à son école, aujourd'hui plus que jamais, le parti est l'instrument essentiel de l'édification du socialisme et aucun secteur d'activité ne doit échapper à sa direction.

Hua Kouo-feng — son action durant la Révolution culturelle le montre — est de ceux qui comprirent mal les assauts frénétiques livrés contre la hiérarchie en 1966 et en 1967. A l'exemple de Chou En-laï, les cadres tels que lui s'efforcèrent de préserver l'organisation des contestations trop radicales. Dès qu'ils le purent, après l'échec de Lin Piao, ils rétablirent à peu de choses près la situation qui existait avant 1966.

Le Hounan eut cette particularité d'abriter jusqu'en 1968 un des groupes gauchistes les plus originaux, le *shengwulian,* « comité uni des révolutionnaires prolétariens ». Cette organisation se montrait très hostile aux cadres. Elle considérait que 95 % d'entre eux étaient des bourgeois. La relative stabilisation qui suivit l'été 1967 et la fin provisoire des combats lui parurent les premiers signes d'un Thermidor. La création d'un comité préparatoire à la Grande Alliance, qui annonçait l'établissement d'un comité révolutionnaire provincial, suscita son hostilité. Le *shengwulian* qualifia cet organisme d'émanation politique de la « bourgeoisie rouge ».

Hua Kouo-feng s'illustra par la fermeté avec laquelle il brisa ce groupe, dont le radicalisme allait jusqu'à contester les données les plus élémentaires de la philosophie du régime. L'organisation fut déclarée « réactionnaire » et démantelée. Ses chefs, dont Yang Si-kouang, principal auteur de ses manifestes, furent arrêtés. Tout laisse supposer qu'ils subirent de lourdes condamnations.

Finalement, passé les premiers remous qui le laissèrent un peu désemparé comme beaucoup de ses pairs et lui valurent, comme à eux, sa ration de vives critiques, Hua fit une Révolution culturelle très « centriste ». Associé aux militaires, il appuya l'élimination des bureaucrates les plus droitiers, les plus compromis avec Liou Chao-chi, sans pour autant faire preuve de la moindre tendresse pour les gauchistes. Une bonne part de son activité consista en fait à rétablir l'ordre, puis les structures du parti et celles de l'administration.

Son entrée au secrétariat du Comité provincial date de 1959. Elle suivit la disgrâce du principal dirigeant local, Chou Siao-tcheou, conséquence de l'affaire Peng Teh-huaï. Selon la version officielle, Mao lui-même aurait recommandé sa promotion. Six ans plus tard, à l'aube de la Révolution culturelle, il occupait la quatrième place dans la hiérarchie hounanaise. En avril 1968, il devint le vice-président du Comité révolutionnaire et le IXᵉ Congrès, un an après, vit son entrée au Comité central. Une grave crise éclata ensuite, résultant de l'influence prise par l'armée dans la vie politique. L'échec de Lin Piao permit de reconstituer l'appareil et de restaurer la primauté des cadres civils tandis que les soldats regagnaient les casernes ; non sans résistance parfois, et ce fut le cas au Hounan. Hua dut vaincre deux officiers, Li Yuan et Po Tchan-you, après quoi, il émergea comme numéro un. Sa fermeté, son action persévérante pour normaliser le pouvoir et ses états de service antérieurs attirèrent l'attention sur lui. Il se classait parmi ces fonctionnaires qui n'avaient pas servi Liou Chao-chi, qui avaient maintenu l'ordre et défendu le parti dans des circonstances très dures; bref, c'était un homme sûr.

Au début de 1971, il fut appelé à travailler à Pékin aux côtés de Chou En-laï, tout en continuant à s'occuper des affaires de sa province. C'est lui qui fut chargé d'enquêter sur l'affaire Lin Piao, responsabilité extrêmement importante car il eut ainsi l'occasion de mettre au point la version officielle du complot et de la chute du maréchal. Il était entouré d'un groupe d'hommes qui sont tous aujourd'hui des dirigeants de premier plan : Wang Tong-sing, Ki Teng-kouei, Yeh Kien-ying, Tchen Si-lien. Faisait également partie des enquêteurs l'éminent représentant de la « bande des quatre » aujourd'hui éliminé, Tchiang Tchouen-kiao.

L'appui de Chou En-laï et la confiance de Mao valurent à Hua Kouo-feng d'entrer au Bureau politique en août 1973 et d'être nommé ministre de la Sécurité en 1975 (il exerçait déjà de fait cette fonction). Plus tard, il devint Premier ministre et président du parti dans les circonstances que nous avons relatées.

Que faut-il conclure du rappel nécessairement rapide de cette assez longue carrière? Il nous semble capital de souligner que Hua Kouo-feng a bénéficié de la Révolution culturelle. Mais il est très différent de ces militants de base en révolte contre l'appareil, s'intitulant « rebelles », souvent jeunes et extérieurs au parti, qui furent les artisans du mouvement à la fin des années 60.

Hua est un haut cadre, un administrateur qui doit ses grandes responsabilités actuelles à des luttes d'appareil. Il est représentatif de ses pairs et beaucoup moins des masses de la population chinoise. Mao le tenait pour un homme de confiance et usa de ses services à des moments cruciaux. Hua ne rejette évidemment pas l'héritage du président, mais, conformément à sa formation et à son expérience, il en retient ce qui va dans le sens de l'affermissement du parti et du rôle primordial des cadres. L'équilibre entre l'administration et les considérations idéologiques constitue sa préoccupation centrale, le fonctionnement régulier du parti étant à ses yeux le meilleur et le plus sûr moyen d'y parvenir. Une telle préoccupation l'opposait aux « quatre ». Le célèbre quarteron incarnait une sensibilité différente : celle des activistes que leur rôle à la tête des masses avait rendus célèbres. Ceux-là ne croyaient pas à l'appareil mais au peuple, aux grandes mobilisations avec haut-parleurs, journaux muraux, grèves. Pour eux, le parti était désacralisé à jamais.

Les empêcher de recréer les troubles des années 60, en finir avec leur agitation et leurs déplaisantes thèses sur la bourgeoisie dans le parti — qui ne rappelaient que trop le détestable *shengwulian* — deviendra vite l'obsession de Hua Kouo-feng et de ses amis. Parvenu au pouvoir suprême, le nouveau président prendra progressivement le contre-pied de toutes leurs thèses : il défendra le primat de l'organisation et exaltera le rôle des vétérans. « La bourgeoisie au sein du parti », cette théorie impie, il lui tordra le coup par une formule rapide : « Il est absurde, dira-t-il, de définir les responsables engagés dans la voie capitaliste en prenant le rang et les traitements élevés comme critère économique [2]. »

2. *Pékin information*, n° 35, 29 août 1977.

Wang Tong-sing.

Lorsqu'en octobre 1976 Hua Kouo-feng décida d'arrêter les « quatre » et de prendre en main les destinées du parti et de la République populaire, il reçut un appui décisif : celui du chef de la garde prétorienne, membre lui aussi du Bureau politique depuis 1973, Wang Tong-sing.

C'est un homme puissant. On ignorait presque tout de lui jusqu'à une date récente. Il apparaissait rarement en public et son visage était inconnu. Homme de l'ombre et du mystère par excellence, il a fait presque toute sa carrière dans les services secrets. Or ce personnage détient une des clefs du pouvoir à Zhongnanhaï [3].

Il est à la tête de la célèbre division 8341 (devenue, paraît-il, depuis 1975 la division 57001) : dix mille gardes surentraînés, d'une fidélité à toute épreuve envers leur chef. Wang dirige le Bureau central de sécurité, *zhongyang qingweiqu ;* la division y est rattachée, on l'appelle le *zhongyang qingweituan* (régiment central de sécurité); sa tâche essentielle est de protéger les dirigeants du parti, leurs résidences et leurs déplacements. La division 8341 dépendait directement de Mao Tsé-toung et, aujourd'hui, elle relève de l'autorité du seul Hua Kouo-feng. Mais Hua n'est pas Mao. Wang Tong-sing était lié à ce dernier par une amitié plus que trentenaire, et éprouvait pour lui un attachement de chien fidèle. C'était le parfait « inconditionnel » et cela depuis 1933, année où il était devenu son garde du corps. La légende veut que le président lui ait appris à lire et ait fait de ce petit

3. Cf. note p. 87.

paysan inculte un homme politiquement conscient. A cet égard, Wang est un pur produit de la révolution chinoise. Il est un de ceux qui ont le mieux connu Mao et il peut prétendre incarner la continuité. Toutefois, Mao était une sorte de dieu pour lui et il n'entretient évidemment pas le même genre de rapports avec Hua. Leur collaboration se place sur un pied d'égalité, moyennant l'entente réciproque sur les objectifs à atteindre. Comme Wang commande la division 57001, un instrument essentiel du pouvoir est entre ses mains, d'autant que les gardes lui sont personnellement et exclusivement attachés. *Il a été jusqu'à présent un des hommes forts du régime*[4].

Wang est apparu sur le devant de la scène au cours de la Révolution culturelle. Ses activités antérieures sont mal connues. Il accompagna Mao à Moscou en 1950 et il devint vice-ministre de la Sécurité en 1955. On sait aussi qu'il fut une sorte de vice-gouverneur du Kiangsi entre 1958 et 1960, épisode provincial mal expliqué de cette carrière éminemment centrale. Il revint ensuite travailler à Pékin au même ministère. Au cours de la Révolution culturelle, son nom apparut fréquemment dans la presse, avec ceux du petit groupe de dirigeants cités comme des fidèles du président et baptisé « le quartier général prolétarien ». Ce sont les gardes de sa division qui arrêtaient les hauts cadres disgraciés tels que Liou Chao-chi,

---

4. Depuis novembre 1978, M. Teng Siao-ping a accru son emprise sur le pouvoir. Wang Tong-sing a été l'objet d'attaques par affiches dans les rues de Pékin qui l'associent à la répression des manifestations de la place Tien-an-Men en 1976. C'est une grave accusation. La question se pose de savoir si Wang aura encore aujourd'hui les moyens de s'opposer à Teng et de faire pièce à sa puissante, très puissante faction.

Teng Siao-ping, Tao Chou, etc. Assignés à résidence dans des demeures spéciales, ils étaient ensuite transférés dans des fermes d'État tout aussi spéciales, gérées par le ministre de la Sécurité. Là, ils effectuaient du travail manuel correctif. Wang s'entretenait périodiquement avec les réprouvés pour vérifier leurs progrès idéologiques, sur lesquels il était tenu de faire des rapports réguliers. Inutile de dire qu'il est un grand maître des goulags en tout genre et que la variante chinoise de l'archipel n'a aucun secret pour lui.

Wang est entré au Bureau politique comme suppléant au IXᵉ Congrès en avril 1969. Après la chute de Lin Piao, le Xᵉ Congrès vit sa promotion et son accession au Bureau politique comme membre à part entière. Il appartient aujourd'hui à son Comité permanent et porte le numéro 4 dans la hiérarchie. Il est l'un des quatre vice-présidents du Comité central.

Wang s'est opposé aux Changhaïens et à Mᵐᵉ Mao Tsé-toung dans des conditions obscures. Celle-ci l'aurait jugé trop puissant et aurait voulu lui adjoindre un de ses sbires, Mao Yuan-sin, neveu du président, comme commissaire politique. Si le fait est exact, il explique aisément l'animosité du commandant, et il est peu étonnant qu'il ait personnellement dirigé la mise hors d'état de nuire des « quatre », le 6 octobre 1976. Sa fidélité à Mao ne s'étendait pas à sa famille, puisque les gardes arrêtèrent l'épouse du président et abattirent son neveu, qui aurait, paraît-il, sorti un revolver en les voyant arriver. Au lendemain de ce coup de force, le 7 octobre, Wang fit un rapport devant le reste du Bureau politique. Il se présenta comme le confident du défunt et rapporta certaines de ses paroles très élogieuses pour Hua. Il aida ainsi à consolider l'image de marque du successeur. On peut même dire qu'en la circonstance, Wang « fit » véritablement le nouveau président.

Sur quoi repose la collaboration des deux hommes (sans que l'on puisse présager de l'avenir dans un régime où les retournements, les coups bas et les « peaux de banane » sont monnaie courante)? Wang est comme Hua un bénéficiaire de la Révolution culturelle. Autre point commun : sa longue amitié avec Mao le place au premier rang des gardiens de la tradition. La coopération des deux hommes est d'ailleurs ancienne; Wang a fait lui aussi partie de ce noyau de fidèles chargé d'enquêter sur l'affaire Lin Piao. Hua était à l'époque ministre de la Sécurité, et Wang vice-ministre. Services spéciaux, services secrets, services de sécurité, tel est le creuset d'où sortirent ces nouveaux maîtres de la Chine. Cela reste naturellement une des bases essentielles de leur pouvoir.

Ki Teng-kouei.

La carrière d'un troisième personnage allié aux précédents, le vice-Premier ministre Ki Teng-kouei, le confirme. Lui aussi fit partie du fameux groupe d'enquête sur Lin Piao. Il n'a pas la stature de Hua ou de Wang, mais il est loin d'être insignifiant. Ancien du service de sécurité, bénéficiaire de la Révolution culturelle, il est également issu de la Chine profonde, du Henan. Il a cinquante-six ans comme Hua (Wang en a soixante-deux). Il a commencé à apparaître en public en 1957. Il était alors secrétaire du parti dans la zone de Louoyang.

En 1966, il prit des allures de cadre révolutionnaire

en publiant un journal mural appelant à « bombarder les quartiers généraux » et soutint une organisation de masse appelée la Commune du 7 février. Ceci lui vaudra l'hostilité d'une faction rivale, le Quartier général de la révolte révolutionnaire du Henan, qui reçut l'appui des autorités militaires. Celles-ci firent arrêter Ki Teng-kouei, qui fut gardé à vue quelque temps. L'incident du 20 juillet à Wuhan [5] se traduisit par une perte de prestige momentanée de l'armée, qui lui valut d'être réhabilité. Il devint le second vice-président du Comité révolutionnaire provincial créé le 27 janvier 1968. Au IXe Congrès, il entra comme suppléant au Bureau politique. En 1971, quand l'organisation du parti fut rebâtie au Henan, il devint secrétaire du Comité provincial. C'est alors qu'il commença à travailler avec Hua et Wang sur l'affaire Lin Piao.

En janvier 1975, après la réunion de la IVe Assemblée nationale populaire, il fut nommé vice-Premier ministre. Il avait été proche du groupe de Changhaï jusque-là, ce que son passé relativement gauchiste expliquait. Ki avait lutté à ses côtés contre Lin Piao car il avait, nous l'avons vu, de bonnes raisons d'être mécontent du comportement des militaires à son égard. Sa période gauchisante ne dura cependant guère et il se solidarisa avec Hua et Wang : leur culte de l'organisation, leur foi dans le parti, leur sollicitude pour les cadres, il les partageait. Les troubles que suscitèrent les « quatre » entre 1974 et 1976, les

---

5. A Wuhan, le 20 juillet 1967, des émissaires de Pékin, dont le ministre de la Sécurité Si Fou-tche, furent arrêtés par une faction que soutenait l'armée. Cela fit craindre une révolte des commandants locaux contre le centre. Les radicaux en profitèrent pour attaquer les militaires et remettre en cause leur action un peu partout. Une atmosphère de guerre civile se créa dans le pays.

grèves à répétition, les manifestations, les baisses de production, l'affaiblissement du pays le firent basculer du côté des partisans de la loi et de l'ordre. En 1975, il fit un rapport au Comité central sur les troubles du Tchekiang; il dressa un sévère réquisitoire contre un militant du Comité révolutionnaire, Weng Se-ho, l'homme de confiance des « quatre » dans la province. Entre eux et Ki Teng-kouei, la rupture était désormais consommée.

Hua, Wang, Ki, tel est le triumvirat venu au pouvoir en octobre 1976. Des maoïstes certes, mais très attachés au parti, convaincus du rôle irremplaçable des cadres, décidés à faire progresser leur pays dans l'ordre. Soucieux d'éviter le glissement à droite et le révisionnisme, mais aussi très antigauchistes, ils représentent la continuité. Une continuité bien réglée, sans contestation des appareils, sans délire idéologique : ils sont au service du dieu-parti. Ils ne remettent pas en cause les privilèges des cadres, mais, nous le verrons, ne font pas non plus d'efforts pour les accroître. Bref, le *statu quo,* l'unité, la stabilité; beaucoup de gestion, beaucoup de travail, beaucoup d'organisation, peu d'imagination.

LES « NOVATEURS »

Teng Siao-ping.

Ce groupe s'oppose à un autre dont la figure de proue est Teng Siao-ping. Vice-président du parti, il a également reçu, après la Vᵉ Assemblée nationale populaire, le titre de premier vice-Premier ministre. Un phénomène que ce Teng! Dans ce monde implacable du communisme chinois, dans cet univers de jeu de massacre que sont les avenues du pouvoir à Zhong-nanhaï, il a réussi l'exploit d'être par deux fois destitué pour ensuite revenir aux affaires avec les honneurs.

Le passé de Teng jusqu'en 1949 est très connu et nous ne ferons ici que l'évoquer. Vétéran de la révolution, il prit part aussi bien aux combats dans les maquis du Kiangsi qu'à la Longue Marche et à la clandestinité urbaine. Il séjourna en France au début de 1920 comme étudiant-ouvrier. Ses activités politiques datent de cette époque. Les hommes de ce petit groupe d'étudiants chinois venus dans notre pays connurent tous un destin hors pair, à commencer par Chou En-laï. Teng, revenu en Chine, participa aux grands mouvements prolétariens de Changhaï, tragiquement terminés par les massacres de 1927, puis il gagna les zones révolutionnaires. Il sera commissaire politique de la 3e Armée. Plus tard, il dirigera les opérations militaires dans la Chine du Sud-Ouest aux côtés de Lieou Po-tcheng et d'autres maréchaux glorieux. Il s'illustrera aux batailles des rivières Huai et Hai.

C'est donc une figure de tout premier plan de la révolution chinoise. Comme tous les dirigeants de cette époque, il en a tiré une grande assurance. Mao fut entouré d'hommes d'une trempe extraordinaire, de fortes personnalités avec lesquelles il entra fréquemment en conflit. Teng est de ceux-là. En 1966, il se retrouvera en disgrâce comme Liou Chao-chi et auparavant Peng Teh-huaï. Jamais pourtant ce petit homme au regard attentif, à l'expression curieusement enfantine, ne perdra son franc-parler. Les « quatre » ne feront pas le poids devant ce dirigeant au prestige affirmé, à l'expérience consommée. Leur animosité à l'égard des vétérans comme lui n'en sera que plus forte.

C'est en 1952 que Teng est devenu vice-Premier ministre. C'est lui également qui dirige alors le secrétariat du Comité central et, à ce titre, il représentera son parti au XXe Congrès du P.C.U.S. à Moscou. De retour à Pékin, il se fera l'écho des attaques contre le culte de la personnalité. Le VIIIe Congrès du parti, en 1956, lui donnera l'occasion de rédiger les nouveaux statuts et il suggérera quelques mesures allant dans le sens de ce qui se dit alors chez les Russes. Dix ans plus tard, les Gardes rouges se serviront de cela pour l'accuser de révisionnisme. Néanmoins, il est en 1957 un des principaux artisans de la répression antidroitière qui suit la campagne avortée des Cent Fleurs. Teng croit à l'ordre et à l'organisation. Avec Liou Chao-chi, moins nettement que lui peut-être, il s'affirme homme d'appareil. Le Grand Bond en avant, l'appel aux masses, la ferveur idéologique le laissent réservé. Il n'hésite pas à en dénoncer le caractère « subjectiviste » et « volontariste ». Il ne s'opposera pas à certaines mesures de décollectivisation de l'agriculture. Teng n'a peut-être jamais prononcé la fameuse phrase « Qu'importe la couleur du chat pourvu qu'il attrape des souris [6] », mais elle dépeint l'empirisme du personnage et, il est vrai aussi, le côté désespéré de la situation alimentaire à la fin des années 50.

Teng se rend fréquemment à Moscou pour y mener le grand débat qui précédera la rupture sino-soviétique. Contrairement à la réputation de révisionniste que lui fera plus tard l'extrême gauche, il s'y montre

---

6. Cette phrase justifiait la reprise d'une certaine activité privée rurale destinée à surmonter les difficultés de production et d'approvisionnement.

un adversaire énergique des dirigeants soviétiques. Ses
joutes idéologiques avec ses homologues sont restées
célèbres.

Lorsque la Révolution culturelle éclate, Liou Chao-
chi et Teng Siao-ping réagissent en hommes d'appareil
qu'ils sont. Ils voient avec défaveur l'agitation étu-
diante qu'ils s'empressent de canaliser. Ils conçoivent
la Révolution culturelle comme une épuration des
milieux intellectuels. Pour eux, il s'agit de la réédition
de la campagne antidroitière de 1957, l'essentiel étant
que tout se passe sous la direction du parti. Comme
les comités dans les universités sont alors suspects de
« révisionnisme », Liou et Teng y dépêchent des
équipes de cadres *ad hoc,* les « groupes de travail ».
Mao s'absente volontairement de Pékin en juillet 1966
et leur laisse le champ libre. Les groupes de travail
lancent une campagne de dépistage des catégories
noires et des partisans du maire de Pékin, Peng Chen,
le tout désigné sous le vocable pittoresque de Bande
noire. Une sorte de chasse aux sorcières s'engage dans
les établissements scolaires et universitaires selon des
méthodes classiques [7] déjà expérimentées en 1957. De
nombreux étudiants font l'objet de vérifications de
leur désignation de classe familiale. Des cadres du
parti sont massivement contraints à des autocritiques.
Les uns et les autres doivent demeurer enfermés.
Certains se suicideront. Ceux qui à l'étranger nous
présentent Teng comme un « libéral » ou l'artisan

_____

7. On applique le principe de la responsabilité statistique dont
parle Soljenitsyne dans *l'Archipel du Goulag :* « Il faut dépister tant
d'éléments noirs par unité. » La plupart des enseignants étant des
intellectuels formés dans l'ancienne société, ils sont souvent issus de
familles non prolétariennes ; rien de plus facile alors que de les faire
entrer dans les quotas préalablement fixés.

d'un futur dégel feraient bien de ne pas oublier ce bref mais sinistre épisode.

Mao avait tendu un piège aux deux hommes. Dès son retour à Pékin, à la mi-juillet, il les accuse d'avoir réprimé les masses et ordonne la dissolution des groupes de travail. Pendant les deux années suivantes, les Chinois confondront Liou et Teng dans la même réprobation. Le souvenir des crimes commis, à l'université Tsinghua en particulier, attachera l'infamie à leur nom. Plus tard, les atrocités de leurs adversaires, Lin Piao en tête, les extravagances et la dictature bureaucratique souvent brutale des « quatre » les dépasseront en ampleur. On oubliera les caricatures couvrant les murs de la capitale, qui montraient Teng les mains tachées de sang. Quelqu'un y aura contribué : dès 1967, Chou En-laï arrivera à dissocier son cas de celui de Liou. C'est ce dernier seul que flétriront la XIIe session plénière du Comité central de 1968 et le IXe Congrès.

Après une période d'oubli et d'effacement complets, Teng Siao-ping reviendra au pouvoir en avril 1973. Sa réhabilitation est celle de tout l'appareil et des cadres vétérans. Il reprend ses activités gouvernementales et supplée Chou En-laï handicapé par la maladie. Teng travaille aux « quatre modernisations » et à limiter l'influence du gauchisme. L'industrialisation, il ne la conçoit que fortement guidée par une organisation centralisée. Il s'attache donc à rétablir les réseaux de commandement et les normes de fonctionnement. Accroître la production et la capacité militaire du pays, voilà son objectif. Ses conceptions sont loin de toujours coïncider avec celles de Mao. Le président rêve d'une société nouvelle, aux inégalités réduites, où vivraient des « hommes de type nouveau » dotés d'une conscience socialiste et d'une moralité élevée.

Pour Teng et beaucoup de cadres, tout cela relève d'une vision doctrinaire de l'avenir, utopique et incompatible avec les dures réalités de la politique dans un pays du tiers monde arriéré et entouré d'ennemis. La Révolution culturelle lui paraît le type même de ces grandes campagnes fondées sur des divagations idéologiques, de nature à ébranler le parti et à compromettre les éléments clés de l'édification du pays. Dès son retour, il s'emploiera donc à rétablir la situation antérieure à 1966; cadres et personnalités limogés seront massivement réhabilités.

Les Changhaïens et Kiang Tsing en concluent qu'il n'a rien compris et rien appris et parviennent à le chasser du pouvoir. Hua Kouo-feng le remplace. C'est la source d'un contentieux qui empoisonne encore aujourd'hui l'atmosphère politique chinoise. Teng pourra dire en effet que le président a bénéficié de la politique des « quatre ». De là à dire qu'il était leur allié, il n'y a qu'un pas, et Dieu sait que la propagande le franchit vite. Il faut dire qu'une fois le quarteron arrêté, Hua ne se pressera pas de rétablir leur victime dans ses fonctions. De longs mois s'écouleront avant que Teng ne revienne aux affaires en juillet 1977. Le nouveau président aura préféré, entre-temps, consolider son pouvoir car il se méfie de cet homme à la forte personnalité, qui jouit de très nombreux appuis parmi les cadres vétérans et les militaires. Déjà placé à la tête du Comité central, Hua gardera néanmoins le poste de Premier ministre, trop prestigieux pour être laissé à son rival. La V\ :sup:`e` Assemblée nationale de février 1978 ne fera de ce dernier que le premier vice-Premier ministre. Le président reste le supérieur dans le parti et dans l'administration étatique.

Teng incarne un courant qui a désormais droit de cité dans la vie politique chinoise : l'opposition à la Révolution culturelle. Sa qualité de victime de ce mouvement a considérablement rehaussé son prestige, ce qui en dit long sur la lassitude des cadres et de l'opinion à l'égard des radicaux. Il est à la tête d'une solide faction de vétérans qui n'acceptent d'assumer l'héritage que jusqu'en 1956. Au-delà, la pensée du président leur paraît marquée par un gauchisme insupportable et une sous-estimation de l'organisation. Le premier vice-Premier ministre est donc, dans la République populaire de 1979, le fer de lance de la démaoïsation, c'est-à-dire, pour ramener les choses à la conjoncture présente, qu'il est un partisan résolu de la primauté de l'économie et du développement scientifique et industriel, sous la direction centralisée du parti. Inutile de dire que la fidélité aux vues maoïstes sur l'homme socialiste et l'avènement d'une société moins bureaucratique n'est pas sa préoccupation première. Mais Teng désire surtout que soient chassés des postes de direction tous les jeunes cadres venus aux responsabilités pendant la Révolution culturelle, car leur présence porte en germe un deuxième mouvement semblable, catastrophique à ses yeux.

Une Chine puissante, industrialisée, apte à résister à ses ennemis extérieurs et à jamais débarrassée des ruineuses utopies gauchistes à l'intérieur, voilà son but. Dans le domaine militaire, cela veut dire une armée de professionnels, moderne, dégagée des caractéristiques de l'armée de guérilla. Nous y reviendrons.

Hsu Shi-you.

« Hsu la Barrique » est l'autre homme fort du régime. C'est aujourd'hui un septuagénaire chauve et bedonnant, mais cela ne doit pas faire oublier son extraordinaire passé d'homme d'action. Né au Houpeh dans un milieu de paysans pauvres, il abandonna encore jeune sa famille. Comme il ne fréquentait guère l'école, il devint un de ces vagabonds qui sillonnaient les routes de Chine. On dit qu'il entra un jour au célèbre monastère de Shaolin et qu'il y devint un maître de *kungfuwusu*. Les moines avaient perfectionné l'art du combat rapproché afin de se défendre contre les bandits qui infestaient la région. Les techniques des arts martiaux se transmettaient de génération en génération et les religieux formèrent ainsi de nombreux jeunes gens. Il était, semble-t-il, de tradition que les adeptes entraînés de la sorte s'engageassent ensuite dans l'armée. Hsu entra dans celle d'un seigneur de guerre nommé Wu Pei-fu. Défaite pendant l'expédition du Nord par l' « unité de fer » que commandait le communiste Yeh Ting, la troupe fut dispersée. Hsu regagna son Houpeh natal et se convertit à la révolution. Il participa aux insurrections régionales que guidaient des hommes aussi connus aujourd'hui que Hsiu Siang-tchen, Tchen Si-lien, Li Sien-nien, Li Teh-sheng [8].

Hsu Shi-you aurait dirigé l'avant-garde de la 4e Armée lorsque celle-ci dut, sous la poussée nationaliste, quitter les régions soviétisées, tandis que

8. Membres du Bureau politique. Hsiu est ministre de la Défense nationale.

d'autres corps d'armée entamaient la Longue Marche. Ce groupe de guérilla gagna le Setchouan et effectua un trajet plus long que les autres. Par la suite, Hsu paraît s'être retrouvé dans les forces « scissionnistes » de Tchang Kouo-tao. Lorsqu'il rejoignit Yenan, la querelle de ce dernier avec Mao Tsé-toung avait abouti à la rupture totale. Hsu fut arrêté et dut faire son autocritique. Il fut néanmoins absous et en 1937, la guerre sino-japonaise ayant éclaté, il se retrouva général à la tête d'une brigade de la 129ᵉ division. Il était alors sous les ordres du fameux Lieou Po-tcheng, « le Dragon borgne ».

En 1949, il entra dans la 3ᵉ Armée commandée par Tchen Yi[9]. En 1954, Hsu fut nommé à la tête de la région militaire de Nankin, poste qu'il occupera jusqu'en 1973. Il devint le prototype de ces commandants régionaux considérablement puissants. Avec dix-huit années de présence à son poste, « la Barrique » détient un record : aucune région militaire n'a eu si longtemps un même chef. Ses appuis, tant dans l'armée que dans le parti, en font aujourd'hui un des nouveaux maîtres du pays.

Lin Piao voulut réduire le pouvoir de ces régionaux qui n'appliquaient que mollement sa politique de « soutien à la gauche ». Le maréchal eut beau envoyer en province des « unités centrales de soutien » pour préserver de l'anéantissement les groupes qu'il jugeait plus révolutionnaires, les militaires locaux restèrent les maîtres du jeu. Lorsque, à l'été 1967, éclata une grande offensive gauchiste contre les

---

9. Vétéran de la guérilla, Tchen Yi fut longtemps ministre des Affaires étrangères. Attaqué par les radicaux durant la Révolution culturelle, il fut défendu par Chou En-laï et Mao Tsé-toung.

militaires, de nombreux sièges de région furent
attaqués. Hsu Shi-you figurait en bonne place sur la
liste des officiers à abattre. De vastes troubles se
produisirent à Nankin. Le second de Hsu, Tu Fang-
ping, avait abandonné son supérieur et soutenait la
faction des Excellents qui se heurtait à une autre
faction, appelée de façon pittoresque les Péteux. Les
soldats essayèrent de maintenir un semblant d'ordre
mais ils ne purent empêcher que la bataille fasse rage
pendant plusieurs jours ; les deux groupes disposant
d'armes à feu, il y eut de nombreux morts et blessés.

L'armée, exaspérée par les radicaux, n'aurait pas
accepté le limogeage d'un chef aussi connu que Hsu
Shi-you. Chou En-laï le défendit et, comme il était
peu écouté de l'extrême gauche, la très radicale Kiang
Tsing l'appuya également, ainsi que Mao lui-même.
Les attaques contre le commandant de Nankin
cessèrent alors. Les armes se turent, le général garda
son poste. Il dut cependant participer à Pékin à un
stage d'étude de la pensée de Mao Tsé-toung, ce qui
permit ensuite de proclamer qu'il s'était « corrigé ».

Tout cela, on s'en doute, n'avait guère concilié « la
Barrique » et les gauchistes, et il avait toutes les
raisons de se méfier de Lin Piao. Au Xe Congrès, Hsu
figurait au premier rang de ceux qui l'avaient combattu
et abattu. Les photographies officielles le montraient
parmi les plus hauts dirigeants du régime. Il était au
faîte de la puissance.

Pourtant les « quatre » réussirent là où les mouvements de masse des années précédentes s'étaient
brisés. Ils parvinrent à le chasser de son bastion et à
lui faire quitter Nankin pour Canton. Ceci contribua
à donner une fausse idée de la force du quarteron au
sein du parti communiste chinois.

Hsu, lui, avait mille motifs de ne pas apprécier la camarilla d'idéologues qui régnait à Pékin. Il soutint Chou En-laï et fit réhabiliter le maximum d'anciens cadres civils et militaires. Il réédifia les appareils. Il n'était pas connu comme un partisan de la professionalisation de l'armée, tendance plutôt répandue dans les ministères et chez les officiers commandant les corps spécialisés et les unités centrales, mais il se rapprocha de Teng Siao-ping. Celui-ci représentait le développement ordonné du pays, l'unité préservée d'une armée que depuis 1966 on avait employée à tout faire. Lorsque le vice-Premier ministre fut renversé pour la deuxième fois en avril 1976, il le prit sous sa protection à Canton et laissa placarder nombre d'affiches hostiles aux « quatre » dans les rues de sa ville. Au total, il était doublement puissant, il commandait au Kouangtoung et ajoutait ainsi de nouveaux appuis à ceux qu'il avait déjà dans le Kiangsou. Il pouvait en outre compter sur les très nombreux cadres qu'il avait fait réhabiliter et dont il avait interrompu la descente aux enfers. A peine le quarteron gauchiste de Pékin fut-il renversé par Hua Kouo-feng, que le vindicatif Hsu faisait arrêter Ting Sheng, l'officier qui lui avait succédé dans son fief de Nankin.

Homme d'ordre, hostile aux idéologues et à l'idéologie, Hsu est de ceux qui veulent effacer la Révolution culturelle. Il est assez fort pour faire pièce même à Wang Tong-sing. Son compère Teng et lui souffrent pourtant d'un handicap insurmontable, ils sont septuagénaires.

Hou Yao-pang.

Un homme joue un rôle capital dans le clan de Teng Siao-ping, c'est le directeur du département de l'organisation du Comité central, Hou Yao-pang. Il a été nommé à ce poste clé en décembre 1977. Hou n'est pas une personnalité de premier plan, son importance vient de la position qu'il occupe. Autant dire qu'il est la fonction faite homme.

La nomination de ce personnage, très connu pour son étroite association avec Teng en diverses conjonctures politiques sensibles, a suivi la disgrâce de Kouo Yu-feng, précédent titulaire du poste. Le 7 octobre 1977, un an après la nomination de Hua, *le Quotidien du peuple* publiait un article intitulé « Rectifions la politique à l'égard des cadres, dénaturée par la bande des quatre ». Le responsable du département de l'organisation était accusé d'avoir subi l'influence de la camarilla et d'avoir persécuté les vétérans. Non moins grave accusation : il se voyait reprocher sa mollesse dans « le dépistage des partisans de la bande des quatre » et dans le démantèlement de leur « réseau fractionnel bourgeois ».

Son remplacement par Hou Yao-pang correspond — les choses sont on ne peut plus claires à cet égard — au désir d'intensifier la répression. Il est l'épurateur en chef de l'appareil du parti. Sa venue a suivi le retour de Teng aux affaires et le XIe Congrès du parti; elle témoigne donc de l'influence grandissante du vice-Premier ministre. Comme on le voit, cette influence a peu de chances de s'exercer dans le sens du « libéralisme » que lui prêtent généreusement certains journalistes occidentaux.

Les deux hommes travaillent ensemble depuis longtemps. Après la Longue Marche, Hou assista Teng, alors commissaire politique de la 129ᵉ division du 18ᵉ groupe d'armée. En 1949, il devint directeur du département politique de la 2ᵉ Armée, commandée par Lieou Po-tcheng, dont Teng était aussi le commissaire politique. Plus tard, il occupa le poste de secrétaire de l'important district du Setchouan Nord, suivant ainsi les destinées de son ami devenu premier secrétaire du Bureau de la Chine du Sud-Ouest, qui couvre les provinces du Setchouan proprement dit, du Koueitcheou, du Yunnan et du Sinkiang. En août 1952, tous deux furent simultanément transférés dans les bureaux administratifs du Comité central. Teng devint vice-Premier ministre et secrétaire du Comité central et Hou premier secrétaire de la Ligue de la jeunesse communiste.

Il fut ensuite vice-premier secrétaire par intérim du Comité du parti pour le Chensi, où il assista Liou Lan-tao, un puissant dirigeant régional, adversaire déclaré de Mao, qui sera durement critiqué pendant la Révolution culturelle. Dès le début de celle-ci, en août 1966, Hou est visé par les Gardes rouges, qui le désignent comme un membre du « Teng Siao-ping club ». On l'accusera d'avoir, avec Wang Li, aujourd'hui secrétaire du parti pour l'Anhuei, organisé de fréquentes réunions privées de hauts cadres où la bonne chère, les jeux de cartes et même — ô scandale — la danse occupaient le plus clair du temps. Plus grave fut sans doute l'accusation d'avoir contré la politique de Mao Tsé-toung dans le domaine des cadres; les Gardes rouges ont reproché à Hou d'avoir été un « homme de main » de Teng, ce qui n'est pas faux, et d'avoir considéré les cadres comme les agents décisifs de la construction du socialisme. Ils l'ont accusé en outre d'avoir favorisé leur embourgeoisement, de leur avoir consenti toute sorte de privilèges les éloignant des masses, d'avoir multiplié les hiérarchies et encouragé l'autoritarisme.

Comment douter que, revenu au pouvoir avec son inséparable ami et après les avanies subies dans les années 60, Hou ne s'attache prioritairement à effacer les séquelles de la Révolution culturelle? Sa présence à un poste clé risque à tout le moins de sonner le glas de tout ce que la décennie précédente avait pu proclamer de neuf dans le travail du département de l'organisation. La conception du cadre vivant avec les masses, partageant leurs épreuves, se soumettant à leurs critiques, appartient au passé. Mais avait-elle réellement dépassé le stade des flamboyantes proclamations de la presse? L'heure est en tout cas au triomphe des apparatchiks.

Deux clans hostiles.

Si Hua Kouo-feng, Wang Tong-sing et Ki Teng-kouei sont inconditionnellement attachés à l'idée de la primauté du parti, Teng Siao-ping, Hsu Shi-you et Hou Yao-pang sont également des figures de proue de la bureaucratie chinoise qu'ils ont contribué à réédifier. Ils croient au rôle primordial de l'appareil et c'est la base de leur collaboration. Pourtant, leurs divergences sont également notoires. Les pages précédentes ont souligné une de leurs différences : le premier groupe a participé à la Révolution culturelle, sur des positions centristes il est vrai, mais il en a finalement bénéficié. Le second en a été victime et il incarne, notamment aux yeux des vétérans, ce parti jadis voué aux gémonies, presque étranglé et jeté dans le fleuve, et miraculeusement ressuscité (grâce en grande partie à Chou En-laï, dont la mémoire est aujourd'hui unanimement chérie par les nouveaux maîtres). Cet épisode de la récente histoire a trop scindé la Chine pour rester sans séquelles profondes. Avoir été de part et d'autre de la barricade pendant la Révolution culturelle, voilà un clivage qui a toutes chances de demeurer longtemps irréductible. Que doit penser Teng aujourd'hui lorsqu'il retrouve aux séances du Bureau politique son interrogateur d'antan, Wang Tong-sing?

Les pommes de discorde ne manquent pas pour empoisonner les rapports des deux clans; l'une d'elles est particulièrement amère, l'interprétation des événements survenus à Tien-an-Men en avril 1976. On se souvient que les émeutes favorables à Chou En-laï et hostiles aux « quatre » avaient précipité la chute de Teng. Hua Kouo-feng avait pris son poste, et l'on imagine facilement que le remplacé en ait conçu quelque aigreur envers le remplaçant.

Il se trouve que dans la population pékinoise, la rancœur est vive à l'égard des responsables de la cruelle répression policière qui fit une centaine de morts. Depuis plus d'un an, des affiches apparaissent régulièrement dans la capitale qui demandent le châtiment des coupables. Qui sont-ils? Les « quatre », dit-on officiellement. Mais ils n'étaient pas chargés de l'administration de la cité, ni de tâches gouvernementales, à part Tchiang Tchouen-kiao qui était vice-Premier ministre. Par contre, Tchen Si-lien était chef de la région militaire de Pékin; Wu Teh, le maire, un homme également lié à Hua, eut une responsabilité directe dans l'intervention brutale des forces de l'ordre. Depuis plusieurs mois, de nombreuses affiches prennent à partie ces deux hommes qui ont d'ailleurs fait leur autocritique, sans enrayer la floraison des placards [10].

Récemment, les journaux muraux se sont mis à réclamer « toute la lumière » sur les événements de Tien-an-Men, et les observateurs s'accordent à penser qu'ils bénéficient au minimum de la bienveillance des partisans de Teng Siao-ping.

« Toute la lumière », voilà une demande bien gênante pour un régime habitué à vivre dans l'ombre. Cette lumière, si jamais elle rayonne, risque de révéler des choses peu agréables : que les responsables de la sécurité, dont Wang Tong-sing, ne furent peut-être pas étrangers à la violence policière, et aussi que le supérieur hiérarchique de Wu Teh et de Tchen Si-lien, exerçant concurremment les fonctions de ministre de la Sécurité et de Premier ministre par intérim, n'était autre que *l'actuel numéro un du régime*, M. Hua Kouo-feng.

Réinterpréter la version officielle des événements d'avril 1976 n'est pas facile. A l'époque, on les qualifia d'incidents contre-révolutionnaires. Si cette étiquette est injustifiée, alors c'est la répression qui fut contre-révolutionnaire. Dans un régime où un mani-

10. Les journaux muraux sont de trois sortes : écrits spontanément par la population, comme ce fut le cas à la fin des années 60, pendant la Révolution culturelle; écrits par les comités du parti ou sous leur inspiration — ils ne font alors généralement que reprendre le vocabulaire et les thèmes de la presse; écrits enfin par des gens liés à un clan de hauts dirigeants, comme beaucoup de ceux qui paraissent actuellement. Wu Teh a été destitué le 10 octobre 1978, ce qui est une grande victoire de Teng Siao-ping.

chéisme échevelé est souvent de rigueur, ces classifications sommaires et infamantes sont monnaie courante. Le « renversement des verdicts » risque actuellement[11] d'être bien déconcertant pour le nouveau président. Certes *le Drapeau rouge,* revue théorique du parti, avait discrètement donné une version neuve des événements de 76 en en faisant porter la responsabilité à la « bande des quatre ». « Elle a complètement dénaturé la signification de la manifestation qui s'est déroulée en faveur de Chou En-laï », affirmait le périodique, ajoutant que « le vice-président Teng avait été calomnié » et que la cible principale du quarteron « était déjà le camarade Hua Kouo-feng ». Ce texte visait essentiellement à « blanchir » le nouveau président. Le fait qu'un simple article de revue ait été consacré à cette affaire, en lieu et place d'une déclaration officielle, traduit l'embarras persistant des autorités. Ajoutons que les rédacteurs d'affiches continuent de plus belle à réclamer cette « lumière ».

Mais l'essentiel du conflit est ailleurs. Il porte principalement sur la conception du socialisme et sur les méthodes à suivre pour parvenir aux « quatre modernisations », comme nous allons le voir.

Nous examinerons dans un autre chapitre la part de continuité et la part de rupture à l'égard du maoïsme que comporte la politique gouvernementale. Il est d'ores et déjà évident, cependant, que l'audience du clan Teng et les pressions qu'il est en mesure d'exercer précipitent les choses dans le second sens.

La question centrale est de savoir jusqu'où l'on ira dans la démaoïsation et à quel rythme.

---

11. Voir postface, p. 270. Les événements de Tien-an-Men sont aujourd'hui tenus pour « révolutionnaires ».

La pelle ou le stylo.

L'élite de hauts cadres qui influencent de manière décisive la prise des décisions a survécu à la Révolution culturelle, son statut privilégié aussi. Le problème qui se pose à elle aujourd'hui est de consolider ce pouvoir, car il n'est qu'imparfaitement institué.

La position politique d'un cadre dépend des vicissitudes de la conjoncture. Celle-ci impose de s'aligner opportunément sur les courants idéologiques qui traversent le groupe dirigeant et d'être du bon côté quand éclatent un conflit ou une crise. Qu'on vienne à se trouver dans le clan vaincu, voilà les ennuis qui commencent. Les moindres ne sont pas la destitution et la perte de l'autorité, ainsi que des avantages matériels liés à l'exercice d'une *fonction.* Ces considérations expliquent pour une large part l'esprit grégaire et la rituelle unanimité des Congrès et des Comités centraux. Comme on le voit, et à l'inverse de ce qui se passe en régime capitaliste, les avantages économiques découlent d'un statut politique ; tandis que, sous nos latitudes, qui détient la puissance économique détient aussi dans une large mesure l'influence politique. A cet égard, on ne peut pas dire qu'en Chine le pouvoir appartienne à une *classe* privilégiée.

Une classe se définit par son rôle dans les rapports de production, ce qui n'est pas exactement le cas ici. Si l'on entend par classe privilégiée un groupe trouvant son assise sociale et alimentant sa richesse par la confiscation d'un surproduit, on est frappé ici par l'exiguïté des prélèvements et la modicité des privilèges dont bénéficient les dirigeants. Le terme d'embryon de classe sociale conviendrait mieux et expliquerait la fragilité de ce groupe, que les purges de la décennie écoulée ont en outre rendu politiquement instable. Comme la transmission héréditaire des biens est très limitée, cette couche est en quelque sorte condamnée à un certain rachitisme. Les privilégiés vivant de prélèvements modestes, ce qu'expliquent tant le régime politico-juridique que la situation économique du pays, il se crée dans la République populaire cette situation classique : s'ils veulent accroître leur bien-être, les fonctionnaires sont souvent obligés de recourir au trafic d'influence ou à d'autres pratiques illégales [12].

L'avenir politique de la Chine est conditionné en grande partie par l'évolution du statut des cadres, des hauts cadres en particulier. Ce groupe, où l'ancienneté est un facteur très important tant politiquement qu'indiciairement, aspire à la stabilité et à la fin des purges. Meurtris par la Révolution culturelle, les vétérans veulent le retour à la situation qui prévalait entre 1949 et 1966, années généralement moins agitées. Hua Kouo-feng a donc parlé au XIe Congrès du rétablissement des normes de fonctionnement du parti et de la « rectification du style de travail, perturbé par les sabotages des quatre ». Ce langage

---

12. Exemple bien connu : le cadre dirigeant une entreprise ne livre de marchandises à une municipalité que moyennant un passe-droit : livraison d'un produit nécessaire à son usine et prévu pour une autre, ou encore moyennant un avantage pour sa famille, tel l'envoi de ses enfants à l'université. Le trafic de tickets de céréales est très répandu en Chine, un coupon de 80 centimes à Pékin peut en valoir le triple au Setchouan. Bien entendu, il n'y a pas que les cadres pour se livrer à ces activités, mais les détenteurs de responsabilités sont souvent les mieux placés pour profiter des combines.

feutré ne doit pas tromper, il exprime les aspirations profondes de la hiérarchie.

Dans un premier temps, tout va se jouer dans le domaine économique. Si la Chine se modernise et accroît sa capacité productive, elle va créer du même coup la base matérielle d'une appropriation plus large, d'autant que le principe de rétablir les primes et d'encourager la diversification salariale pour stimuler la production est retenu. On peut s'attendre alors à voir proliférer les administrateurs et les techniciens et se multiplier les couches catégorielles. Beaucoup de choses vont dépendre en dernier ressort de l'extension donnée à cette différenciation sociale. Au-delà d'un certain seuil l'évolution devient irréversible. Pour la période présente, tout va dépendre des vues idéologiques des détenteurs du pouvoir et de leur désir plus ou moins grand d'aller dans ce sens ou au contraire d'y résister. Ce problème est au cœur de la rivalité qui oppose Hua et Teng.

Pour Mao Tsé-toung, l'essentiel n'était pas de bâtir une Chine industriellement forte et prospère. Non qu'il fût indifférent au progrès du pays, mais l'économie n'était à ses yeux qu'un moyen de construire un jour la cité communiste dont il n'a jamais cessé de rêver. L'autre moyen d'atteindre ce but était de créer un homme nouveau, doté d'une conscience altruiste, qui lui permettrait entre autres de maîtriser la croissance, de l'orienter vers le dépassement progressif des inégalités et plus tard vers la disparition des classes et de l'État. Cette conception (ici simplifiée) souvent taxée d'utopie a inspiré les campagnes du Grand Bond et de la Révolution culturelle. Il est significatif que celles-ci aient eu, au moins au début, un côté antibureaucratique, voire anti-autoritaire.

Pour des hommes comme Teng Siao-ping et avant lui Liou Chao-chi, tout est conditionné par le développement économique. L'avènement d'un socialisme plus épanoui, notamment en matière culturelle, passe par l' « édification d'une base matérielle ». Par contre, pour les maoïstes et ceux qui aujourd'hui assurent le maintien de l'orthodoxie, il faut transformer les mentalités et les superstructures en même temps qu'on développe l'économie. Faute de le faire, celle-ci suit sa logique propre : les inégalités grandissent, le profit devient la règle et on aboutit à la situation de l'U.R.S.S., c'est-à-dire à la « restauration du capitalisme ».

La division des dirigeants en deux clans repose sur leur attitude vis-à-vis de ce conflit doctrinal. La défense ou l'abandon de l'héritage ne peuvent qu'inspirer des politiques différentes.

Du vivant de Mao, les cadres étaient astreints à toutes sortes de travaux manuels périodiques, destinés à ranimer leur « conscience prolétarienne » et combinés à des stages d'endoctrinement divers. Les écoles du 7 mai [13] ont institutionnalisé ces longues périodes de retour à la terre, censées éliminer les penchants bureaucratiques des fonctionnaires. Quelques doutes que l'on puisse avoir sur l'efficacité de ces sessions, où les cadres demeurent entre eux, rarement mêlés au peuple paysan puisque confinés dans des enceintes exclusivement destinées à les recevoir, la chose existe et a au moins valeur de symbole. Or le symbolisme a une grande importance dans la politique chinoise.

Évidemment, il ne manque pas de Chinois pour penser que tout cela est une perte de temps et que le

13. Voir le chapitre VI, p. 219.

cadre doit avant tout être un administrateur efficace. Un incident s'est produit le 27 novembre 1977 qui a bien montré les conflits existant dans les hautes sphères à ce sujet. Hua Kouo-feng, accompagné de onze membres du Bureau politique, se rendit ce jour-là sur un chantier au nord de Pékin pour y faire du travail manuel. *Le Quotidien du peuple* consacra plusieurs pages à l'événement, avec de multiples photographies à l'appui. Le message était clair : les cadres, selon l'exemple ainsi donné au plus haut échelon, devaient rester proches du peuple, travailler et ne pas aspirer à devenir de nouveaux aristocrates.

Hua Kouo-feng aime bien se faire photographier la pelle sur l'épaule. Il affirme ainsi sa fidélité aux idéaux de simplicité et de démocratie proclamés par sa propagande et hérités du grand disparu. Il est intéressant de noter qu'à cette même manifestation, Teng brillait par son absence, de même que des hommes tenus pour proches de lui comme Yu Chiu-li, Su Chen-hua, Nie Jong-tchen [14]. On apprit par la suite que Teng se trouvait à Canton auprès de son ami Hsu Shi-you. Les correspondants de presse du monde entier relevèrent donc que tout se passait comme si deux pôles existaient au Bureau politique, l'un désireux d'affirmer hautement sa fidélité politique et morale à l'enseignement de Mao, le second préférant s'en démarquer non moins nettement.

---

14. Yu Chiu-li, ministre du Plan, membre du Bureau politique. Su Chen-hua, amiral, membre du Bureau politique, dirige la municipalité de Changhaï. Nie Jong-tchen, maréchal qui fit la Longue Marche. Spécialiste des problèmes nucléaires et de la stratégie de la dissuasion, ses prises de position font souvent écho à celles de Teng Siao-ping.

ANNEXE DU CHAPITRE IV

A propos de la « *bourgeoisie dans le parti* » : *les thèses en présence.*

Les « quatre » avaient fait de la lutte contre la « bourgeoisie dans le parti » leur cheval de bataille. En 1976, dans un article du n° 6 du *Drapeau rouge*, signé Fang Kang, on lisait ceci : « Les responsables engagés dans la voie capitaliste, *zozipaï*, sont le noyau central de la bourgeoisie dans le parti, où ils constituent le facteur le plus dangereux de retour au capitalisme et de renversement de la dictature du prolétariat. » La thèse des idéologues changhaïens s'appuyait sur une citation de Mao. Une partie de la réfutation à laquelle se sont livrés leurs adversaires s'est également appuyée sur des phrases du président, le tout donnant lieu à une de ces batailles de citations fréquentes en Chine et que nous épargnerons au lecteur.

La première réfutation solidement argumentée de la thèse des « quatre » est venue d'un article signé Hsiang Kiun et intitulé « Inversion des rôles dans le rapport entre nous et nos ennemis [1] ». La thèse essentielle était celle-ci : la bourgeoisie n'existe pas dans le parti *en tant que classe*. Dans les rangs du parti communiste, il apparaît périodiquement des *représentants* politiques de la bourgeoisie,

1. *Pékin information*, n° 14, 4 avril 1977.

appelés « responsables engagés dans la voie capitaliste ». Contrairement à ce que disaient les « quatre », ils ne sont pas le noyau de toute une classe bourgeoise qui existerait au sein du parti. Les partis politiques prennent naissance au sein des classes sociales, non l'inverse. La présence de représentants de la bourgeoisie dans le parti « est le résultat inévitable de *l'infiltration* de la bourgeoisie dans le prolétariat ».

Le président Hua lui-même n'a pas dédaigné de prendre part à la réfutation idéologique des quatre dirigeants déchus, notamment dans son rapport politique au XIe Congrès : « Tant que le pouvoir suprême du parti et de l'État est détenu par un noyau dirigeant fidèle au marxisme-léninisme, les *zozipaï* ne constituent qu'une poignée et sont dénoncés et expulsés du parti les uns après les autres, ils ne sauraient former une bourgeoisie. Ce n'est que s'ils s'emparent du pouvoir comme en U.R.S.S. qu'une bourgeoisie monopoliste bureaucratique peut se former et que le parti se transforme en parti politique bourgeois. »

La thèse de Yao Wen-yuan selon laquelle les cadres entrés dans la révolution à l'étape démocratique étaient des « démocrates bourgeois », revenait à assimiler la « bourgeoisie dans le parti » à une classe d'âge et ne mérite pas d'être retenue. L'intérêt des arguments échangés est ailleurs.

Les nouveaux maîtres de la Chine admettent par exemple le concept de nouvel élément bourgeois. Ils conviennent que sous le nouveau régime peuvent apparaître des bourgeois qui ne sont pas des individus ayant eu ce statut dans l'ancienne société. Un ouvrier, classé tel, peut par exemple se révéler un habile spéculateur. On dira alors qu'il n'a pas « réformé sa conception du monde ». Son comportement découle d'*idées bourgeoises* qui sont finalement l'héritage, le « stigmate » de l'ancienne société.

Tout autre était l'analyse faite par Yao Wen-yuan et ses amis. Selon lui, il y avait dans la nouvelle société une *base matérielle,* et non pas uniquement idéologique, à l'apparition des nouveaux éléments bourgeois. Il s'agit de la persistance du « droit bourgeois », c'est-à-dire en jargon marxiste de l'inégalité telle qu'elle « résulte de la répartition calculée sur une unité de mesure identique pour des producteurs inégaux, par leurs capacités de produire et leurs besoins à satisfaire [2] ». Notons que ceci est souvent résumé dans les textes chinois par la formule « à chacun selon son travail ». Ainsi, disait Yao : « [...] si se consolident le droit bourgeois et la part d'inégalité qu'il entraîne, un phénomène de polarisation se produira inévitablement dans le domaine de la répartition; une minorité de gens s'empareront d'une quantité toujours croissante de marchandises et de monnaie par certaines voies légales et de nombreuses voies illégales [...] l'accaparement du bien public, la spéculation, la corruption et la concussion, le vol et les pots-de-vin se multiplieront [...] L'exploitation capitaliste — conversion de marchandises et de la monnaie en capital et transformation de la main-d'œuvre en marchandises — se reproduira, entraînant un changement de nature de la propriété dans certains secteurs et unités [...] C'est ce qui s'est passé en Union soviétique [3] ».

Ce point a fait l'objet d'une âpre contestation dans un article intitulé « Réfutation du sophisme de Yao Wen-yuan : la répartition selon le travail engendre la bourgeoisie [4] ». On y lit ceci : « Selon Yao, le droit bourgeois et la part d'inégalité qu'il entraîne est la cause de la naissance du capitalisme [...] Yao Wen-yuan alléguait que le principe `` à chacun selon son travail '' entraînait l'exploitation capitaliste, conversion de marchandises et de la monnaie en capital et transformation de la main-d'œuvre en marchandises [...] Pour cela, il faut que la monnaie puisse être utilisée pour acheter des moyens de production [...] et que l'on puisse acheter sans restriction la force de travail [des

2. *Pékin information*, n° 22, 2 juin 1975.
3. *Pékin information*, n° 10, 10 mai 1975.
4. *Pékin information*, n° 6, 13 février 1978.

ouvriers] [...] Un autre cas où la monnaie peut se convertir en capital, c'est lorsqu'elle est utilisée pour acheter des marchandises qui sont revendues avec profit [...] or dans notre société, la conversion de la monnaie en capital commercial est rigoureusement restreinte, il s'agit d'une activité illégale. Comme il existe des classes et la lutte de classes, il est inévitable que des gens se livrent à ces activités illégales. Mais tant que l'État de dictature du prolétariat exerce fermement son contrôle sur eux [...] la sphère des activités spéculatives reste très réduite [5]. »

Il est vrai que les thèses avancées par les « quatre » étaient parfois faibles et contradictoires. Ainsi, Yao Wen-yuan donne l'impression de confondre salaires, inégalités, droit bourgeois et répartition selon le travail. *Or il est faux de dire que le système salarial chinois correspond à des travaux de valeur différente.* Si c'était le cas, un ministre n'aurait aucune raison de toucher trois ou quatre fois le salaire d'un ouvrier qualifié. Seule la Commune de Paris, en versant aux fonctionnaires des salaires d'ouvriers, a vraiment appliqué le principe « à chacun selon son travail ». Mais ceci, les vainqueurs des « quatre » ne le disent pas et la réfutation à laquelle ils se livrent est très loin d'emporter la conviction.

Résumons leurs arguments. Nous vivons, disent-ils, sous la dictature du prolétariat. La propriété étant publique et la monnaie inconvertible légalement en capital commercial, la spéculation reste limitée. Il en irait différemment si des « révisionnistes contre-révolutionnaires » s'emparaient du pouvoir, aussi devons-nous périodiquement briser les tentatives dans ce sens des « représentants de la bourgeoisie qui s'infiltrent dans le parti » (ceci nous ramène à la célèbre théorie des complots analysée au chapitre premier).

La question qui se pose alors à tout esprit logique est celle-ci : si l'ancienne bourgeoisie est soumise à une implacable dictature, si la sphère spéculative où de nou-

5. *Pékin information*, n° 6, 13 février 1978.

veaux bourgeois peuvent naître est très exiguë, pourquoi, depuis dix ans, voit-on apparaître sans trêve des « représentants de la bourgeoisie » *à la direction même* du « grand, glorieux et juste » parti communiste chinois? Pourquoi l'exercice de la dictature du « prolétariat » ressemble-t-il tant à l'activité d'un homme qui s'efforce de maintenir un ballon sous l'eau?

Cette « infiltration d'éléments étrangers » est-elle « inévitable », comme le disait Hsiang Kiun dans l'article d'avril 1977? N'est-elle pas plutôt favorisée par l'existence de couches sociales différenciées parmi les cadres, au sein même du parti par conséquent? Car enfin, si les hauts salaires des fonctionnaires ne proviennent pas de la rétribution du travail, ni de la spéculation commerciale, ils ne peuvent provenir que du surtravail[6] prélevé sur les producteurs. Doit-on s'étonner dès lors qu'il se trouve des gens pour sans cesse tenter d'élargir leurs privilèges et consolider leur assise sociale en multipliant les différences catégorielles? Et doit-on s'étonner que cela suscite une résistance? N'est-ce pas là, bien davantage que l'infiltration

---

6. Le n° 8 de *Pékin information*, paru le 27 février 1978, écrit ceci : « Dans le cours de la production socialiste les masses travailleuses fournissent à l'État et à la société un surtravail qui est la part de travail excédant le niveau de leurs propres besoins [...] elles fournissent à l'État de dictature du prolétariat de quoi faire face aux frais d'administration *y compris le salaire du personnel des organismes d'État* et répond aux besoins toujours croissants de la société socialiste pour les sciences, l'enseignement, la santé, la culture, l'art, *y compris le salaire du personnel de ces départements.* » [*souligné par moi,* J. D.]

Soyons clairs : aucune société ne peut fonctionner sans ce surtravail dans les conditions historiques actuelles; néanmoins, si certains salaires y sont prélevés, si le montant unitaire des rémunérations les plus hautes dépasse plusieurs fois la valeur de l'unité de travail qualifié qui sert à produire, ne sommes-nous pas devant une forme d'exploitation réduite certes, embryonnaire, mais lourde de conséquences sociales et politiques?

d'éléments étrangers ou la « dégénérescence idéologique » de certains, la base permanente de tous les conflits, de tous les affrontements politiques au sein du régime? Au fait, est-ce bien le prolétariat qui est au pouvoir?

Conclusion : dialogue d'Alice et de Hua Kouo-feng.

Alice — Comment empêchez-vous les comploteurs bourgeois de s'emparer du pouvoir?

Hua — Tant qu'est maintenue la dictature du prolétariat, les complots de restauration du capitalisme sont brisés les uns après les autres.

Alice — Cependant vous dites qu'ils ont réussi en U.R.S.S. bien que, selon vous, Staline ait été un grand marxiste qui a maintenu la dictature du prolétariat.

Hua — S'ils ont réussi après sa mort, c'est que la dictature du prolétariat n'a pas été maintenue.

Alice — De quoi dépend le maintien de la dictature du prolétariat?

Hua — Il faut que le pouvoir soit aux mains d'un noyau de dirigeants fidèles au marxisme-léninisme.

Alice — Tous les dirigeants se réclament du marxisme-léninisme, même les contre-révolutionnaires éliminés. Quel est le critère pour déterminer la loyauté idéologique d'un dirigeant?

Hua — Il faut qu'il applique la dictature du prolétariat.

INTERLUDE

Les réflexions de l'ouvrier Wang.

24 octobre 1976 — Pour un beau rassemblement, ç'avait été un beau rassemblement. Gongs, tambours, pétards, slogans, danses des écoliers, banderoles, oriflammes, rien n'avait manqué, pas même le soleil, sous le ciel bleu vif de cette fin octobre. Plus de poussière, plus de chaleur, une fraîcheur sèche et tonifiante fort appréciée du million de personnes rassemblées pour fêter la nomination de Hua Kouo-feng.

« Que de changements chez nous depuis deux mois, dit l'ouvrier Wang à son ami Hsu. Le travail commence à reprendre. Il y a moins de gens absents. L'atmosphère a complètement changé. Le directeur aussi a changé, d'ailleurs. »

Les deux hommes s'étaient retrouvés près du parc à vélos du marché de Xitan. Il était 12 h 30. Autour d'eux, les cortèges se dispersaient. Ils enfourchèrent leurs bicyclettes et entreprirent lentement de pédaler vers le quartier de Sanjieke où ils habitaient. Des groupes de lycéens remontaient la rue en sens inverse en criant des mots d'ordre. Certains étaient complètement aphones. Tous gesticulaient, brandissaient des pancartes et les portraits des deux présidents, le disparu et son successeur.

« Salut au président Hua », « Vive le grand, glorieux et juste parti communiste chinois ». On entendait les voix de tête des filles qui dominaient le chœur. « A bas la bande des quatre », « A bas les comploteurs », « A bas le révisionnisme ». Le chapelet se dévidait, inépuisable.

« Vive les quatre modernisations, dit Wang à son ami, il était temps que la Chine sorte des difficultés. » Depuis 1970, le niveau de vie se dégradait : mauvais approvisionnements, disait-on partout. Les salaires n'avaient pas augmenté depuis dix ans. Les journaux publiaient pourtant des reportages lyriques vantant l'abondance dans les magasins. L'apparition massive des transistors avait été saluée comme un événement et leurs prix avaient baissé ; mais quelle importance, si le peuple n'avait pas de quoi acheter ? Comme ouvrier qualifié, Wang gagnait 75 yuans par mois, un excellent salaire à Pékin, mais sa femme ne travaillait pas et sa belle-mère vivait avec eux ; il fallait nourrir et vêtir trois enfants et à la fin du mois cela ne faisait jamais trop. Les loyers étaient dérisoires et il mangeait à la cantine de son entreprise. Mais les vélos par exemple, indispensables pour se rendre au travail, coûtaient environ 150 yuans, soit une augmentation de 30 % en dix ans. Heureusement que le sien tenait le coup grâce à ses talents de bricoleur. Hsu l'aidait aussi à entretenir son vieux logement, où les problèmes de tuyauterie et de toiture n'étaient pas rares.

Cela faisait un moment qu'il connaissait Hsu : neuf ans déjà. C'était au début de la Révolution culturelle, à une réunion d'ouvriers de la capitale venus critiquer le maire Peng Chen. Ils s'étaient parlé spontanément, puis ils avaient découvert qu'ils étaient voisins. A cette époque, leur quartier avait dû s'organiser pour se défendre contre des groupes qui faisaient régner l'insécurité la nuit. Des Gardes rouges du Comité d'action unie, avait-on dit. Des voyous, en fait, qui s'étaient liés à des groupes de miliciens et d'anciens soldats et qui mettaient les événements à profit pour voler, enlever et torturer les gens comme aux plus beaux jours de l'ancien régime. Hsu et Wang avaient constitué un groupe de protection qui patrouillait aux abords des grandes avenues afin que les ouvriers des équipes de nuit puissent rentrer chez eux tranquillement. Tout cela maintenant appartenait au passé; Lin Piao, les « quatre » même, c'était de l'histoire ancienne; le pays aspirait au calme, à plus de liberté et de prospérité. Pendant dix ans, le pouvoir avait passé de main en main; à une époque, le peuple avait été soumis à tant de rabâchages idéologiques que chacun finissait par parler comme *le Quotidien du peuple,* de peur de se voir accusé de déviationnisme. Même dans les familles, entre mari et femme, on en était venu à se méfier et à tenir sa langue.

« As-tu entendu ce qu'on disait dans la foule? demanda Hsu. Les quatre sont exclus du parti à jamais, comme Lin Piao. On ne leur appliquera pas le principe `` guérir la maladie pour sauver l'homme ''. »

« Ils sont irrécupérables, dit Wang, c'est la promesse que leur politique ne recommencera jamais. »

C'était devenu l'aspiration de tant de Chinois! A la mort de Lin Piao, on avait cru à la fin des purges, des pressions idéologiques, des divisions, des troubles, et

puis tout avait recommencé deux ans après. « A
jamais, répéta Wang, espérons-le. »

Les luttes, les éliminations, les virages à 180°
finiraient-ils un jour? Wu Teh, le maire, venait de
faire un discours — on ne l'aimait pas trop à Pékin
celui-là, depuis le massacre de Tien-an-Men —, et il
avait parlé de continuer la lutte contre Teng Siao-ping.
Pourtant il était assez populaire, ce Teng. Les
« quatre » en avaient dit tant de mal qu'il devait bien
avoir quelque mérite. Quand il avait voulu réorgani-
ser les usines en 1975, certains ouvriers l'avaient
critiqué, mais il y en avait eu pas mal aussi pour
l'approuver. Le moyen d'améliorer la vie du peuple
sinon en produisant mieux et plus? Wang se souve-
nait d'avoir rencontré un cousin de Hsu, un Cantonnais de passage dans la capitale. Ne lui avait-il pas
appris que là-bas, chez lui, les placards favorables à
l'ex-vice-Premier ministre fleurissaient depuis un
mois? D'autres personnes lui avaient affirmé en avoir
vu à Pékin même.

Celui-là pourrait nous ramener trop à droite, tout
de même! se prit à penser Wang. C'est que Teng ne
s'était jamais bien entendu avec Mao ces dernières
années, il n'était pas comme Hua son élève. Teng était
vieux, il n'en faisait qu'à sa tête. Mao aussi était
comme cela et il avait commis des erreurs, mais on ne
pouvait pas trop le dire, car la Chine nouvelle c'est lui
qui l'avait faite. Il était inséparable du destin de
chaque Chinois et il en serait encore ainsi pour
plusieurs générations. Cependant, on disait que chez
les intellectuels, certains le blâmaient à mots à peine
couverts. Wang n'avait pas voulu croire ce qu'on
lui avait rapporté à l'usine : des gars de l'équipe de
nuit prétendaient avoir lu une affiche portant un

slogan sacrilège : « A bas la bande des cinq ! », ce qui voulait dire que Mao aussi... ou que Hua... Ça, c'était réactionnaire. Jamais la classe ouvrière ne l'accepterait. Mao avait commis des fautes, mais parce qu'il était vieux et malade. Il est vrai que tous ces dirigeants, à Zhongnanhaï, vivaient dans un monde à part. Ils faisaient à peu près ce qu'ils voulaient. Y aurait-il eu tant de campagnes de masse contradictoires, tant de complots, tant de crises s'ils avaient su ce qui se passait réellement dans leur peuple ?

CHAPITRE V

LE RÈGNE DE HUA KOUO-FENG
UNITÉ, STABILITÉ ET RÉPRESSION

La consolidation du pouvoir.

En devenant président du parti le 7 octobre 1976, Hua Kouo-feng avait recueilli un héritage particulièrement empoisonné. La production connaissait une baisse inquiétante, certaines provinces étaient à feu et à sang, les cadres étaient démoralisés, le peuple ressassait son pessimisme, l'armée s'agitait et pour finir, lui, Hua Kouo-feng, était peu connu, en sorte que chacun le regardait faire ses premiers pas avec réserve et scepticisme.

La tâche était immense. Il lui fallait se composer une image de marque, normaliser le parti, pacifier la province et surtout redresser la situation économique. Il fallait aussi — tout en dépendait — donner une version officielle cohérente de l'élimination des « quatre », c'est-à-dire expliquer la crise rationnellement et, à partir de là, tenter de restaurer le prestige du parti et le consensus populaire.

Ce n'était pas simple : toutes les causes avaient successivement appelé l'idéologie à la rescousse et à force d'entendre l'appareil de propagande encenser puis discréditer Liou Chao-chi, Teng Siao-ping, Lin Piao, puis les « quatre », le citoyen chinois avait fini par ne plus rien vouloir croire. Il était pourtant essentiel de rétablir la fonction idéologique du parti, car elle conditionnait tout simplement sa bonne marche et celle du régime.

Il fallait commencer par le commencement, c'est-à-dire dissiper toute confusion quant à la ligne suivie par les quatre dirigeants déchus. Ils s'étaient réclamé de Mao à cor et à cri et avaient réussi à se présenter comme ses héritiers spirituels. Il fallait donc montrer que Hua Kouo-feng seul avait droit à ce titre, que dans le domaine idéologique également sa suprématie était incontestable.

A l'automne 1976, le président formula donc une interprétation de la pensée de Mao Tsé-toung qui privilégiait la continuité avec les périodes antérieures à la Révolution culturelle et même au Grand Bond en avant de 1958. En effet, les nouveaux dirigeants n'approuvaient pas toutes les théories que Mao avait développées ensuite. La publication d'un texte encore officiellement inédit du défunt, intitulé *Les dix grands rapports,* texte datant de 1956 et où il traitait largement de l'édification économique, fut le premier jalon dans cette voie. Ce document analysait la relation entre l'industrie légère et l'industrie lourde, entre les industries côtières et celles de l'intérieur, entre la révolution et la contre-révolution. Il fixait les principes et les priorités et pouvait donc servir de base à l'action du nouveau gouvernement. Il présentait surtout l'avantage de montrer que Mao avait toujours eu un grand souci de l'édification économique, souci que ses successeurs partageaient et que la presse exprimait quotidiennement. Dans cette optique, c'était donc Hua, et non les gauchistes, qui représentait la continuité.

Le deuxième jalon dans cette voie fut la décision de nommer Hua président de la commission pour la publication des œuvres de Mao. Cette commission préparait l'édition du tome 5 [1] de ses écrits, qui groupait les articles de 1947 à 1957, période pour laquelle le consensus était établi. Depuis dix ans, tous les clans successifs avaient voulu diriger l'édition du tome 5. Il ne s'agissait pas d'une simple publication. Les articles de Mao étaient toujours révisés avant d'être réunis en volume et diffusés. On ne les récrivait pas, certes ; tout au plus Mao, de son vivant, y avait-il supprimé des passages. Mais la commission travaillait sur les textes, y introduisait des notes au goût du jour, rédigeait des avant-propos, de courts textes de présentation historique « convenablement orientés [2] ». Bref, depuis la mort du président, qui dirigeait cette commission détenait un peu de sa pensée ; Hua devenait ainsi l'interprète suprême de la doctrine, le souverain dispensateur des suppléments d'âme, le solennel gardien du trésor théorique.

Le culte de Mao, cependant, semblait ébranlé. Le peuple certes lui rendait hommage : fallait-il qu'il l'ait aimé pour supporter les dix dernières années du règne ! Mais, dans le parti, cadres et intellectuels en

1. Mis en vente le 15 avril 1977.
2. Et surtout, la commission sélectionnait les articles à publier, puisqu'il s'agit d'un recueil d'*Œuvres choisies*.

En U.R.S.S. également, les œuvres de Lénine font l'objet de publications et de republications périodiques qui permettent peu ou prou, en sélectionnant les textes notamment, de répondre aux besoins idéologiques du moment. Tels sont les impératifs de l'orthodoxie.

avaient tellement vu, de campagnes de critique en campagnes de dénonciation, de rééducations en destitutions, qu'ils doutaient à la fin de la sagesse du vénérable. C'était particulièrement vrai de certains militaires de province, tel Hsu Shi-you à Canton : celui-ci n'allait-il pas clamant que tous les dirigeants faisaient des erreurs et que tous étaient égaux devant la vérité? Il reprenait là une phrase de Peng Chen [3], l'ex-maire de Pékin, le chef de la « bande noire » destitué en 1966, et cela sonnait comme un défi.

On ne pouvait aller plus loin dans cette voie. La Chine avait besoin d'une pensée commune et d'un parti soudé qui assurent la continuité du culte de Mao. Hua décida l'érection d'un mémorial où reposerait la dépouille du président, sur la place Tien-an-Men. La première pierre en fut posée le 24 novembre 1976 [4]. Mao avait fait la Chine; sans son image tutélaire, elle se déferait. Ce n'était pas le nouveau président qui engagerait la démaoïsation.

Une armée incommode.

Hua Kouo-feng avait reçu le soutien de l'A.P.L. Un éditorial du quotidien de l'armée, le *Jiefangjunbao,* avait proclamé avec éclat le 29 octobre, cinq jours après la grande réunion sur la place Tien-an-Men, qu'il était le « dirigeant incontestable du parti ». Les officiers paraissaient peser de tout leur poids en sa

3. Réhabilité aujourd'hui.
4. Les quatre dirigeants déchus s'étaient opposés à cette sacralisation de la dépouille mortelle de Mao.

faveur, mais ils n'étaient pas toujours commodes. Le nouveau président avait eu du mal à leur faire admettre l'inopportunité d'une large campagne d'épuration. Il avait dû les convaincre que tout en combattant l'influence des « quatre », il fallait éduquer le plus grand nombre de gens et réduire la cible, car le parti avait besoin d'unité et le pays de calme.

Cette prudence n'était pas du goût des militaires. Le 22 novembre, le *Jiefangjunbao* publiait un éditorial fracassant qui l'indiquait clairement. L'article avait beau s'intituler « Nous obéissons en tout aux ordres du Comité central dirigé par le président Hua », il n'en exposait pas moins des vues totalement différentes des siennes. Les rédacteurs militaires s'exprimaient même en termes violents : « Devant de tels ennemis de classe [les « quatre »], nous ne devons montrer ni ambiguïté, ni indulgence mais les dénoncer et les critiquer sans merci, dévoiler tous leurs agissements et les abattre sans pitié. Faire preuve de bienveillance envers ces gens-là, c'est commettre un crime contre le peuple. »

La semaine suivante, le 28 novembre 1976, *le Quotidien du peuple* publiait un éditorial intitulé « Dénoncer à fond la bande des quatre », réponse du berger à la bergère. Après un réquisitoire en règle contre le quarteron, l'article s'achevait comme de coutume par des recommandations et des directives qui, conformément aux vues de Hua, allaient dans le sens de la circonspection. Elles appelaient à distinguer les contradictions antagoniques de celles qui ne l'étaient pas afin d' « unir tous ceux qui pouvaient l'être ». « Corriger les erreurs est souhaitable », poursuivait le texte. « Gardons-nous d'expédier à coups de màssue tous ceux qui ont commis des erreurs, comme le faisait la bande des quatre [5]. »

Tout au long des mois à venir, Hua Kouo-feng allait subir la surenchère des militaires. Progressivement, ceux-ci devaient lui imposer le déclenchement d'une dure campagne d'épuration et le retour au pouvoir de Teng Siao-ping.

L'impératif du redressement économique.

Un des principaux problèmes qui affectaient la Chine au début de 1977 demeurait la désorganisation de l'appareil productif, due pour l'essentiel à l'agitation ouvrière. Le quarteron avait beaucoup troublé les transports et l'important centre ferroviaire de Tchengtcheou avait dû être placé sous le contrôle de l'A.P.L. L'arrestation des « quatre » et de leurs partisans les plus notoires avait calmé la contestation des cadres dans les usines et freiné les arrêts de travail, mais l'absentéisme persistait. En maints endroits certes les usines suivaient le nouveau cours politique et continuaient à tourner, mais dans plusieurs secteurs la baisse de productivité demeurait sensible [6].

5. Les deux articles cités ont été publiés en français dans le n° 49 de *Pékin information,* le 6 décembre 1976.

6. L'auteur a visité la Chine en juillet 1977 et il a remarqué, dans l'une des cinq usines parcourues, d'importantes séquelles de cette période. Dans les quatre autres entreprises, les dirigeants déclaraient d'ailleurs avoir connu la même situation aux époques précédentes. Une grande unité de construction mécanique de Pékin donnait le spectacle d'ateliers semi-déserts où les quelques employés présents ne travaillaient visiblement qu'à contrecœur. Les respon-

L'arrestation des meneurs d'une part, leur discrédit idéologique d'autre part, allaient être les deux axes de la « reprise en main ». Très progressivement — car cela ressemblait au khrouchtchevisme abhorré —, le gouvernement allait réhabiliter les différences salariales, puis les primes, et faire miroiter la perspective d'une augmentation du niveau de vie pour réduire l'allergie au travail dans la classe ouvrière. Assez vite, la décision fut prise d'augmenter les salaires les plus bas.

Discréditer l'idéologie de la « bande des quatre » impliquait de revaloriser la gestion et l'efficacité économique. « C'est un honneur de faire des profits », expliquait la presse. Dans la période précédente, ceux qui manifestaient un tel souci se voyaient taxer de révisionnisme; on les accusait d'être des partisans de la théorie des forces productives, attribuée jadis à Liou Chao-chi. Dès son arrivée au pouvoir, Hua Kouo-feng fit plusieurs discours où il développa, citations de Mao à l'appui comme de juste, un thème à vrai dire peu nouveau, simplement oublié pendant la Révolution culturelle : « Développer l'économie socialiste est une des tâches fondamentales de la dictature du prolétariat. » Le nouveau

---

sables locaux se montrèrent fort embarrassés par les questions à ce sujet : ils commencèrent par prétendre que beaucoup d'ouvriers n'étaient pas là car une réunion politique avait lieu. Étonnement! On affirmait partout le principe de ne se réunir qu'en dehors des heures de travail... Un autre cadre avança une explication différente : le petit nombre d'ouvriers présents résultait selon lui de la mécanisation poussée du travail. Finalement tous convinrent que l'absentéisme persistait du fait de l' « influence idéologique » de la « bande des quatre » dans les rangs du prolétariat. Ceci se passait à l'été 1977, et l'on imagine la situation qui devait régner dix mois plus tôt, lorsque Hua Kouo-feng devint président.

président prit le contre-pied des thèses, si souvent propagées par la presse à l'époque où les Changhaïens la dirigeaient, selon lesquelles le développement économique dépendait de la révolution, ce qui revenait à privilégier l'instance politico-idéologique, voire à justifier les pertes économiques dès lors qu'une lutte pour le pouvoir était en cours. Combien de fois des désordres et des arrêts de travail avaient-ils éclaté sous de semblables prétextes! Hua Kouo-feng affirma crânement que « le but de la révolution est l'accroissement des forces productives ». Beaucoup de Chinois, las des pénuries, des difficultés d'approvisionnement, de la mauvaise qualité de certaines denrées, comprenaient et approuvaient ce langage.

Toute une série de conférences et de grands rassemblements à caractère économique furent tenus, auxquels on donna un retentissement national. Aucun ne manqua de souligner les dégâts commis par la camarilla déchue et de la couvrir de malédictions. Le 10 décembre s'ouvrit la deuxième Conférence pour s'inspirer de Tachaï dans l'agriculture. Tachaï est une commune populaire modèle dont l'exemple est constamment exalté depuis dix ans. C'est une des plus éclatantes réussites du régime et son principal dirigeant, Tchen Yong-kouei, fait partie du Bureau politique depuis août 1973. Le 20 avril suivant allait se tenir une réunion pour s'inspirer de Taking, le pendant industriel de Tachaï. Ces deux noms symbolisaient la ligne révolutionnaire du président disparu, ils étaient l'orgueil de la République populaire et l'emblème de l'opposition au révisionnisme. Tous les succès remportés là l'avaient été en appliquant ses principes : en créant des rapports égalitaires entre les techniciens et les ouvriers, en associant les paysans aux décisions prises en matière de répartition. La propagande voulait montrer que le progrès économique et la révolution n'étaient pas incompatibles. Bref, on était en pleine continuité maoïste. Une multitude d'articles théoriques et de reportages soulignaient l'ardente nécessité du progrès industriel (et du progrès agricole, qui en était la base), mis désormais au premier rang des priorités nationales. Pour cela, il fallait des cadres scientifiques nombreux. On réhabilita donc la recherche et les intellectuels, si souvent malmenés et humiliés pendant la Révolution culturelle. A la fin du mois d'avril, le président du parti se rendit en Mandchourie, où il inspecta les principales bases industrielles du pays. La presse donna un grand retentissement à ce voyage. En octobre le Comité central décida la réunion d'une Conférence nationale sur les sciences. Pendant un an, la Chine vécut au rythme de ces rassemblements de cadres spécialisés, au plan local et national. Tout le pays entrait dans une sorte d'ère des managers.

L'engrenage.

Depuis octobre 1976, la propagande braquait ses feux sur Hua Kouo-feng. Son portrait figurait dans tous les lieux publics aux côtés de celui de Mao. Des expositions de photos dans les rues des grandes villes, pratique courante en Chine populaire, les montraient côte à côte en diverses circonstances passées, au Hounan, à Zhongnanhaï. Le président acquérait une nouvelle stature, il commençait à paraître à l'aise dans les habits de son prédécesseur qui au début, il faut bien le dire, étaient un peu grands pour lui. Il avait réussi à créer une impression de continuité idéologique et d'adhésion à la pensée du défunt, qu'il ramenait pourtant très soigneusement à la période précédant 1956 afin, comme nous l'avons vu, de ne chagriner personne.

Restait à résoudre politiquement le problème des « quatre ». Parmi les dirigeants éliminés, il y avait la veuve du disparu, et tout ce qui se disait contre elle rejaillissait sur lui d'une certaine manière. Pour atténuer cet inconvénient, on répandit le bruit que depuis des années Mao et elle vivaient séparés et qu'à plusieurs reprises, le président avait écrit des lettres pour critiquer Kiang Tsing.

Il importait d'étayer quelque peu la version officielle du complot. Ce n'était pas facile car la répétition suscitait le scepticisme et déconsidérait le régime. Sur ce point, la campagne de presse fut donc graduée, et elle s'efforça de compenser par une certaine prolixité de l'argumentation son côté dangereusement galvaudé. Il fallait montrer que les quatre dirigeants éliminés n'avaient eu aucun droit à se réclamer de Mao. A cet égard, il y avait un fait indiscutable et qui fut massivement souligné : de son vivant, le président avait voulu que Hua devienne Premier ministre, et c'est sur sa proposition que le Bureau politique l'avait nommé premier vice-président du parti, titre jamais décerné auparavant, qui l'avait fait passer *avant Wang Hong-wen* dans la hiérarchie.

Mao l'avait donc bel et bien choisi comme successeur. Cela est rigoureusement exact, mais Mao avait aussi soutenu les « quatre » en diverses circonstances, et jamais ils ne se seraient élevés si haut sans son appui. On préférait l'oublier : la presse s'efforça de démontrer au contraire que le quarteron avait trompé sa confiance. On accusa la « bande » d'avoir forgé après sa mort une fausse directive : « procéder suivant l'orientation établie », et de l'avoir publiée dans *le Quotidien du peuple*[7]. Cette phrase, à en croire les accusateurs, était un mot d'ordre secret que les « quatre » auraient lancé à leurs partisans à travers le pays en vue de déclencher un coup d'État. Cela ne résiste évidemment pas à l'examen : si telle avait été l'intention des vaincus, auraient-ils eu besoin d'user de la presse officielle, qui était lue par leurs partisans mais aussi par leurs adversaires ? Les coups d'État requièrent une technique plus élaborée en matière de communications. Le moins qu'on puisse dire est que ce « fait » n'étayait guère les charges de conspiration, pas plus, à vrai dire, que les quelques autres, toujours assez minces, qui furent évoqués. Ainsi apprit-on en octobre que Wang Hong-wen avait voulu mobiliser la milice de Changhaï. Mais était-ce, comme on l'en blâmait, pour prendre le pouvoir, ou pour empêcher une arrestation qu'il sentait peut-être imminente ? Nous avons déjà analysé la fonction politique des complots en Chine et le lecteur ne s'étonnera donc pas de constater une fois de plus que l'objectif de la propagande était moins de convaincre que d'affirmer l'orthodoxie et d'occulter toute interrogation trop précise sur la nature et la structure du pouvoir.

L'accusation de complot créait le sentiment commode que les « quatre » étaient isolés, réduits aux

---

7. Cette phrase figurait dans l'éditorial du *Quotidien du peuple* paru le 1er octobre 1976, jour de la fête nationale. *Pékin information*, dans son numéro 52 du 27 décembre 1976, a retracé tout l'épisode sous le titre « Dernière folle tentative avant la chute ».

activités secrètes faute de l'appui des masses. C'est pourquoi le terme de bande ou de clique était constamment employé pour les désigner, et l'on parlait toujours de leurs partisans comme d'une « petite poignée de fanatiques[8] ». C'était ce qu'on appelait réduire la cible. La politique du président était de « récupérer » tous ceux qui pouvaient l'être, dans un souci d'apaisement. Malheureusement, il se heurtait à une opposition grandissante des militaires.

L'Armée populaire de libération est un univers complexe, où les spécialistes distinguent les commandants régionaux, fortement implantés dans leurs fiefs, liés aux cadres civils et engagés dans des tâches administratives nombreuses, et les commandants des forces centrales, qui ont la réputation d'aspirer à une professionnalisation des troupes et à la réduction de leurs tâches économiques et politiques. Malgré cette différence, l'armée chinoise paraît faire bloc aujourd'hui dans le sens du retour à l'ordre, de la normalisation du parti et surtout de l'élimination vigoureuse du radicalisme. Tout indique qu'elle a le sentiment d'avoir été projetée par la Révolution culturelle dans une folle entreprise, dont elle veut à jamais effacer les traces. Dès octobre 1976 et de plus en plus rigoureusement, les officiers avaient exigé l'éradication du gauchisme. Sous leur influence, la ligne du parti communiste chinois s'infléchissait à vue d'œil. Cette influence convergeait avec celle qu'exerçaient d'une manière générale tous les cadres vété-

8. « La cible de l'attaque doit être limitée aux quatre et à la poignée de leurs partisans fanatiques qui refusent de s'amender. » Discours de Hua Kouo-feng à la IIe Conférence nationale pour s'inspirer de Tachaï dans l'agriculture, prononcé le 25 décembre 1976. *Pékin information*, n° 1, 3 janvier 1977.

rans, militaires ou civils. Pour les anciens, le parti était l'œuvre de leur vie. La Révolution culturelle avait failli détruire cette précieuse machine à édifier le socialisme. Leur plus chère aspiration était de tracer un trait sur cet épisode.

Hua Kouo-feng multipliait les gestes à l'égard des vétérans. Les expositions en l'honneur de Chou En-laï, l'homme qui les avait protégés, qui les avait sauvés de la ruine puis remis en selle, s'étaient multipliées. Le 80e anniversaire de sa naissance avait été célébré avec un éclat tout particulier. On avait émis plusieurs séries spéciales de timbres à son effigie. La presse ne perdait pas une occasion de rappeler les mérites des grands anciens, Chu Teh, Ho Long, ou Tchen Yi [9], des hommes que les Gardes rouges puis les lin-piaoïstes avaient persécutés. Les vétérans abondaient à la direction du parti et du gouvernement : Li Sien-nien, vice-Premier ministre, spécialiste des finances, Nie Jong-tchen, le grand maître de la recherche nucléaire et de ses applications militaires, Su Chen-hua, membre du Bureau politique et commandant des forces navales. Il était hors de question pour eux de se contenter de ces hommages platoniques, ils voulaient, ils exigeaient le retour de Teng Siao-ping, leur homme de confiance.

9. Chu Teh fut le compagnon de Mao depuis le maquis du Kiangsi en 1927 jusqu'à 1949. Après l'établissement de la République populaire, il fut membre du Bureau politique. Il ne jouait plus un grand rôle dans la vie publique chinoise à la fin des années 60 en raison de son âge. Un Garde rouge l'avait traité de « vieux crétin » sur une affiche. Ho Long (voir annexe du premier chapitre) participa à l'insurrection de Nantchang, puis à la Longue Marche. Tchen Yi, une grande figure de la révolution, fut longtemps ministre des Affaires étrangères.

Hua Kouo-feng — les discours de la première période de sa carrière présidentielle le montrent — tendait à louvoyer. Il concevait l'élimination du gauchisme comme une campagne essentiellement idéologique. Hormis quelques chefs de file, il ne souhaitait pas épurer un grand nombre de gens. Bénéficiaire lui-même de la Révolution culturelle, il espérait rallier les cadres promus grâce à elle, des hommes jeunes qui, au fond, représentaient l'avenir. Si l'on s'en tient aux chiffres, le parti communiste comptait moins de 20 millions de membres en 1966, pour 35 millions aujourd'hui. Une importante fraction de ces nouveaux venus exerce des responsabilités. On les appelle les « cadres de la Révolution culturelle ». Ils représentent cette génération venue aux affaires à travers les mouvements de masse des années 60, puis la lutte contre Lin Piao et les grandes polémiques des années 70, génération qui était loin d'être entièrement compromise avec les « quatre ». Hua Kouo-feng cherchait donc à s'appuyer sur elle, contrairement aux militaires qui voulaient chasser un grand nombre de ces gens qui s'étaient élevés à la faveur des mouvements hostiles à l'appareil ou à l'armée, qui à la tête d'organisations de masse avaient conquis des positions de force dans les Comités révolutionnaires et divers organes dirigeants. A aucun prix, les officiers n'acceptaient leur maintien, qu'ils aient été ou non partisans du quarteron. Ils étaient le produit de la Révolution culturelle, ils pouvaient servir de base d'appui au déclenchement d'un second mouvement semblable. On ne pouvait pas éliminer tous les nouveaux venus (quinze millions!), mais on pouvait déjà chasser ceux qui étaient devenus cadres. Pour les autres, on verrait ensuite, on « pèlerait l'oignon couche par couche », selon la formule chinoise. Il ne serait pas difficile de prouver qu'à un moment ou à un autre, d'une façon ou d'une autre, ils avaient été liés à la « bande ». L'important était de poser le principe d'un élargissement de la répression.

L'année 1977 s'ouvrit dans ce contexte de divergences et de tensions au sommet. Le 8 janvier marquait l'anniversaire de la mort de Chou En-laï et une vaste manifestation d'hommage posthume se déroula dans la capitale. Couronnes, défilés, mais aussi journaux muraux. Les placards fleurissaient à Tien-an-Men et tous réclamaient le retour de Teng Siao-ping. Des affiches d'un mètre de haut couvraient la tribune. Certaines des proclamations s'en prenaient en termes vifs au maire Wu Teh et au commandant de la région militaire Tchen Si-lien, accusés d'avoir eu partie liée avec les dirigeants renversés. L'attaque contre ces deux hommes était significative : elle suggérait que des complices des « quatre » demeuraient au pouvoir, ce qui revenait à réclamer une campagne d'épuration plus dure.

Les incidents du 5 avril 1976, la répression qui avait suivi, empoisonnaient l'atmosphère politique dans la capitale. Mettre en cause Wu et Tchen, c'était ouvrir la boîte de Pandore car certains voudraient remonter la chaîne des responsabilités et examiner l'attitude de l'échelon supérieur, c'est-à-dire de Hua lui-même.

Les choses allaient trop loin. Le président avait donné son accord aux manifestations de janvier et à l'affichage des journaux muraux, mais il était clair que certaines manifestations étaient « inspirées ». On faisait pression sur lui. Il réagit avec son autorité coutumière. Le 16 janvier, entre minuit et trois heures du matin, la place Tien-an-Men fut entièrement nettoyée, les slogans grattés, les affiches enlevées. Une semaine de défoulement, cela suffisait.

Des concessions aux militaires n'en devenaient pas moins inévitables. Quelles que fussent ses réticences, Hua allait devoir revêtir l'habit du bourreau. Il avait déjà emprisonné les complices de la camarilla renversée, tel le secrétaire de la municipalité de Changhaï, Ma Tien-choueï, qui lui avait bien envoyé un télégramme de soutien mais était décidément trop compromis avec Wang Hong-wen. D'autres activistes bien connus l'avaient rejoint au cachot : Yu Houei-yong, Tche Kiun, Tchang Tie-cheng, le spécialiste de la copie blanche révolutionnaire [10], Weng Se-ho, etc. Un nombre plus élevé de gens étaient soumis à l'autocritique. Le président n'avait aucun scrupule à faire arrêter ces individus comme jadis les chefs du *shengwulian*. Mais cela ne calmait pas les militaires, qui ne voulaient pas en démordre, et le trouvaient trop conciliant. Ils voulaient l'escalade : moins d'autocritiques, davantage d'arrestations. A vrai dire, la tâche de Hua Kouo-feng eût été moins ardue si la situation intérieure s'était améliorée plus vite.

Au bout du pouvoir, les fusilleurs.

Ce n'était pas le cas notamment dans le Foukien où des groupes de Gardes rouges dissidents, liés à des membres du Comité révolutionnaire provincial et à diverses factions nées de la Révolution culturelle,

10. A une époque où Chou En-laï avait remis à l'honneur les critères académiques de sélection universitaire, Tchang avait refusé de composer et acquis une réputation de révolutionnaire émérite.

refusaient de se soumettre et pratiquaient la guérilla contre l'armée. Il y avait parmi eux des partisans des « quatre », mais aussi toutes sortes de militants des diverses phases révolutionnaires de la décennie écoulée, qui n'acceptaient pas de voir renaître les anciennes structures. Prévoyant que l'appareil du parti les ferait tôt ou tard incarcérer, ils avaient décidé de prendre les armes. N'ayant rien à perdre, ils ne reculaient devant rien. Attentats, attaques de commandos, accrochages avec les troupes en campagne étaient le lot quotidien. Le commandant de la région militaire de Foutcheou était tombé sous leurs coups [11]. En mai 1977, *le Quotidien du peuple* annonçait la mort « en martyr » de son adjoint le général Tcheng Tchao-tchang et, plus tard encore, celle, survenue le 29 octobre 1977, du chef d'état-major de la région militaire, Ho Kia-chen, lui aussi « mort en martyr à son poste ». Trois militaires de haut rang avaient péri en moins de dix-huit mois : cela en disait long sur la situation dans la province, où Pékin sans trêve déversait des troupes.

Au Yunnan, des groupes de rebelles tenaient le maquis sous la direction de Huang Chao-ming, l'ex-président du Comité révolutionnaire du district de Chiaochia. D'autres factions avaient également pris le maquis, tel le régiment 328, né durant la Révolution culturelle. Le Liaoning, que le neveu de Mao Tsétoung, un gauchiste, avait dirigé pendant trois ans, posait lui aussi des problèmes.

L'ensemble de ces questions fut débattu à une réunion élargie du Bureau politique qui eut lieu dans la première quinzaine de mars 1977. Cette réunion

11. Voir p. 117.

était secrète mais on sut progressivement que la décision de réintégrer Teng Siao-ping y fut prise. La chose ne devait être officiellement annoncée qu'après une réunion plénière du Comité central, à la fin de juillet. Dans l'intervalle, Teng participa officiellement au travail du gouvernement et y fit sentir toute son influence. Une autre décision fondamentale date de cette réunion de mars : celle de durcir la lutte contre les « quatre », de renforcer le maintien de l'ordre et de rendre publiques un certain nombre d'exécutions capitales. Les militaires l'avaient emporté. Désormais, Teng, aux côtés de Hua, veillerait à ce que la répression soit conduite avec plus de vigueur et plus d'ampleur.

La presse internationale a signalé la floraison d'affiches annonçant les condamnations à mort qui traversa toute la Chine en mars 1977. Aucune grande ville ne fut épargnée : Shenyang, Pékin, Changhaï, Wuhan, Sian, Tchangcha, Kunming, Hangtcheou, Nankin, Canton. C'est par dizaines qu'on comptait les fusillés. Cette répression est la plus vaste qu'ait officiellement [12] connue la Chine depuis 1952. Le sang coulait à nouveau dans la République populaire et, à n'en pas douter, l'épisode demeurera un des plus noirs de son histoire. Hua Kouo-feng en assume la responsabilité, avec ceux qui l'y ont poussé et surtout avec Teng Siao-ping, qui en devint vite le maître d'œuvre.

L'annonce de nombreuses condamnations à mort s'est renouvelée périodiquement après mars 1977. La nature de la répression, son étendue et ses motifs,

12. Des massacres ont été commis clandestinement à l'époque de Lin Piao à la fin de 1968 et au début de 1969 (voir chapitres III et VII).

jettent un jour sinistre sur le régime qui la pratique et qui n'en est pas, il faut le dire, à son coup d'essai depuis 1949. Cette répression a d'abord frappé par son étendue. Mise à part l'époque qui suivit la prise du pouvoir, on n'avait jamais vu de telles charrettes de condamnés : cinquante-trois personnes à Changhaï par exemple, dont vingt-six immédiatement exécutées. Les affiches officielles, qui sont ordinairement publiées sous l'autorité du tribunal local, précisaient que les condamnés avaient été fusillés les yeux bandés. Le régime chinois qui, à l'occasion, reproche aux Soviétiques d'user de mesures fascistes contre les dissidents, n'est guère regardant en ce qui concerne ses propres méthodes de lutte.

Les motifs les plus fréquemment indiqués [13] étaient les vols, les assassinats et les viols (les circonstances étant laissées dans le vague) mais, dans d'autres cas, les motifs invoqués étaient *clairement politiques*. A Hangtcheou, sept personnes furent fusillées pour avoir distribué des tracts, dont on ne précisait pas la nature mais qu'il est facile d'imaginer hostiles au gouvernement. Les affiches de Changhaï précisaient sans complexe qu'un des suppliciés « s'était opposé à la critique de la bande des quatre ». Elles ne cachaient pas la motivation franchement politique et ouvertement contraire à la liberté d'expression de ces

---

13. L'auteur a vu en juillet 1977 à Canton un grand nombre de ces affiches apposées sur les murs de la ville. Elles portent une liste de noms, ceux des condamnés à mort étant barrés de rouge, suivie de la brève mention des crimes commis. Il n'y a ni procès public, ni garantie des droits de la défense, ni véritable possibilité de faire appel (l'appel étant considéré comme un défi au gouvernement et une circonstance aggravante). Cf. Jean Pasqualini, *Prisonnier de Mao*, Gallimard, 1975.

décisions qu'il serait malséant d'appeler de justice. Ajoutons que selon Amnesty International, le président et le vice-président du Comité révolutionnaire du Henan auraient été purement et simplement fusillés comme « agents de la bande des quatre ». A Canton, le motif invoqué était l'espionnage. A Wuhan, un des suppliciés aurait détourné 1 500 yuans (4 000 F) : cela constitue une peine inhabituellement sévère en Chine pour ce genre de délit.

D'autres vagues d'exécutions, justifiées de manière analogue, ont eu lieu en juillet et à l'automne 1977, et de nouveau dans les premiers mois de 1978. Tous les observateurs étrangers ont relevé le jeune âge de certains condamnés. A Hangtcheou, six des personnes citées, dont deux filles, n'avaient qu'une vingtaine d'années. Voilà qui doit éclairer la jeunesse chinoise sur les sentiments que lui porte le régime. Que signifient en effet les fusillades dans ce cas précis, sinon un clair avertissement à tous les contestataires que leur âge ne constituera pas une circonstance atténuante et ne les préservera pas du châtiment? La volonté d'impressionner l'opinion par ces peines exemplaires était évidente. En affirmant l'autorité de l'État, Hua Kouo-feng, aiguillonné par l'armée, s'engageait dans un engrenage de violence qui l'éloignait de ses vues initiales sur « la stabilité et l'unité ». Un an plus tard, il devait s'efforcer de faire marche arrière et de freiner cette dérive meurtrière. L'article du *Quotidien du peuple* du 28 novembre 1977, demandant de ne recourir à la peine capitale qu'avec « modération et prudence », fut un premier signe de la réticence du président à prolonger ce climat de vindicte qui balayait le pays.

Quelques notions de base sur la répression en Chine.

L'ordre était troublé en Chine en 1976, il le fut encore en 1977 dans certaines régions et peut-être l'est-il encore. La manière forte a toujours été dans le style du socialisme chinois et il ne faut pas s'étonner qu'elle se soit imposée sous Hua Kouo-feng. Au demeurant, ce dernier n'a jamais eu la réputation d'un apôtre de la non-violence. L'épuration qu'il a dirigée, avec réserve, mais dirigée tout de même, présente pourtant des traits inédits.

On a toujours fusillé en Chine populaire mais, exception faite de la période initiale, les mises à mort avaient été relativement rares et sélectives, officiellement du moins. Les motifs invoqués relevaient du droit commun ou parfois de l'espionnage. Au cours de la Révolution culturelle, on a fusillé diverses personnes. L'auteur a vu des affiches annonçant des exécutions en septembre 1967 sur les murs de Pékin. Ces exécutions étaient peu nombreuses, trois ou quatre; l'une était censée frapper un espion, les autres des assassins, sans autre précision. Des exécutions beaucoup plus nombreuses furent rapportées en 1969 et en 1970 dans la ville de Canton. Les motifs invoqués étaient de droit commun : assassinats, destructions, pillages; les réprouvés étaient désignés comme des « houligans » et des délinquants, mais un doute sérieux existait. Canton avait été très troublée pendant la Révolution culturelle et les suppliciés, à en croire certains témoignages, n'étaient autres que des Gardes rouges ayant lutté par les armes contre les soldats (ou d'autres factions rivales). Il semblait bien qu'on les accusait d'actes commis avec une motivation politique (qui certes ne les justifiait pas), en gommant soigneusement celle-ci. La nouveauté introduite sous la présidence de Hua Kouo-feng est que l'on fusille désormais pour des motifs clairement politiques.

Afficher des condamnations dans les rues d'une ville comme Canton, où passent chaque jour des centaines d'étrangers et de Chinois de Hong Kong, revient à informer largement le monde extérieur. Placarder ainsi tous les murs des grandes villes chinoises, c'est faire en sorte que nul n'en ignore d'un bout à l'autre de la planète. Lin Piao fit assassiner à tour de bras, mais il agissait sans tambours ni trompettes et on ne découvrit l'étendue réelle de ses crimes qu'après plusieurs années. Quel est donc le sens de ce message que les autorités chinoises ont cru devoir adresser au monde en mars 1977, au mépris de leurs règles ordinaires? Pourquoi ce régime si expert en camouflages, si avare d'informations qu'il ne publie pas de statistiques depuis près de vingt ans, a-t-il éprouvé le besoin de répandre de telles nouvelles? Il n'avait nul prestige à y gagner, car son mépris des droits de l'homme pouvait lui attirer des accusations analogues à celles qui visent l'ennemi juré soviétique et donc lui valoir le même discrédit. Son blason révolutionnaire, déjà terni, ne risquait guère d'en être redoré. Alors? Faut-il voir là un message cynique aux autres États, et particulièrement aux États occidentaux dont l'alliance est si nécessaire face à l'ours russe? Il pourrait alors se formuler ainsi : nous ne prônerons plus la révolution mondiale. Nous ne soutiendrons plus les forces qui pourraient déstabiliser vos régimes. Notre politique intérieure et extérieure ne changera pas. Collaborez avec nous, *nous avons exorcisé nos démons.* Voyez, entre les radicaux et nous désormais il y a du sang, c'est irréversible.

Irréversible. C'est ce que Teng et les militaires avaient voulu. Ils avaient contraint Hua Kouo-feng à franchir un Rubicon rouge du sang de ses adversaires.

Au XIe Congrès, en août 1977, le président du parti annonça la fin de la « première » Révolution culturelle. Il avait voulu marquer la continuité avec l'œuvre de son prédécesseur en suspendant aux solives une épée de Damoclès : d'autres mouvements semblables, soulignait-il, auraient lieu à l'avenir (Mao, de son vivant, aimait à répéter cette phrase). Ce n'était pourtant en réalité qu'une clause de style, car il ne manquait pas de gens puissants décidés à faire que la « première » soit aussi la « dernière ». Le Congrès avait été précédé de la 3e session plénière du Comité central, et Teng Siao-ping en avait émergé plus fort que jamais, rétabli dans toutes ses fonctions antérieures dans le parti et au gouvernement. La répression s'était immédiatement haussée d'un cran. Un mot d'ordre nouveau était apparu : « Démanteler complètement le réseau fractionnel bourgeois de la bande des quatre et de ses complices. » Oubliée, la tentative d' « unir tous ceux qui pouvaient l'être ». Il ne s'agissait plus d'éliminer une clique ou une « petite poignée de fanatiques » mais toute une organisation[14].

Depuis le mois de mai précédent, de nombreuses émissions de radio régionales préparaient l'opinion à

---

14. Voir *Pékin information*, n° 31, 1er août 1977. La perspective d'abattre une organisation permet d'élargir et d'accentuer la répression. Celle-ci est gouvernée par le principe de la responsabilité statistique, bien connu également en U.R.S.S.

cette nouvelle phase. Au Hounan, au Setchouan, au Liaoning, elles déploraient la présence d'affidés du quarteron renversé et de membres de leur « réseau bourgeois » dans maints organes de direction. Elles déploraient le peu d'ardeur mis jusque-là à leur élimination. Celle-ci repartait et elle allait battre son plein pendant tout l'été. Teng et les militaires avaient obtenu que soient chassés des Comités révolutionnaires et des noyaux dirigeants du parti nombre de cadres issus de cette Révolution culturelle qu'ils voulaient effacer. Leurs listes étaient prêtes depuis longtemps. Qu'importait que Hua fasse allusion à une seconde Révolution culturelle, eux sapaient la base de son déclenchement, ils en brisaient les ressorts à jamais. Les épurateurs, dont Hou Yao-pang allait prendre la tête à l'automne, visaient un danger potentiel; seule cette considération les guidait.

En juillet 1977, à Canton, le vice-président du Comité révolutionnaire fit l'objet d'un meeting de critique radiodiffusé dans toute la province. Les responsables du parti que nous interrogeâmes sur les causes de sa destitution nous dirent qu'il s'agissait d'un personnage qui s'était « faufilé » dans les organes révolutionnaires « à la faveur des luttes fractionnelles du passé ». Pressés de questions, ils admirent qu'il y était entré comme représentant d'une organisation de masse [15]. Nos interlocuteurs paraissaient voir là toute l' « explication » de sa mise à l'écart. Des informations concordantes permettent de

15. A la création des Comités révolutionnaires en 1968, leur composition était tripartite : soldats, cadres et représentants des organisations de masse (ouvriers, Gardes rouges) en proportions égales.

dire que de telles éliminations étaient courantes alors dans la plupart des provinces.

Pendant la 3ᵉ session plénière, réunie du 16 au 21 juillet à Pékin, Teng avait fait monter les enchères en déclarant : « Il ne faut pas sous-estimer la bande des quatre. Une organisation noire continue à exister dans certaines provinces, municipalités et régions. La première crise de Chou En-laï était due à cette organisation. Son nom de code est `` le rayon de la mort '' [16]. » On plongeait une fois de plus dans la fantasmagorie des complots.

Les gauchistes n'étaient pas populaires. A la différence des dissidents soviétiques, avant d'être victimes, ils avaient souvent tenu la hache du bourreau. Que de crimes n'avaient-ils pas commis en leur temps, eux aussi! Leurs adversaires étaient souvent étiquetés, contraints à l'autocritique, emprisonnés. Combien de cadres du parti avaient été malmenés, battus, tués parfois par des Gardes rouges? Aussi, pour beaucoup de Chinois, les réprouvés du jour ne faisaient que récolter ce qu'ils avaient semé. Comme l'opinion publique n'était guère invitée à scruter de trop près les accusations et les jugements portés contre eux, la « campagne d'assainissement » — c'est le titre qu'on lui donnait — ne pouvait que suivre inexorablement son cours.

---

16. Voir *Issues and Studies*, octobre 1977, p. 74. Teng suggérait que les « quatre » avaient assassiné Chou En-laï. De même on accuse parfois Kiang Tsing d'avoir hâté la mort de son mari.

La Constitution de 1978, cache-sexe du terrorisme étatique.

Semblable contexte oblige à considérer avec scepticisme la promulgation, le 5 mars 1978, d'une nouvelle Constitution, jugée plus « libérale » à l'étranger. Cette opinion favorable se base sur un relatif renforcement de l'appareil judiciaire, dont la Constitution précise l'organisation en trois chapitres, au lieu d'un seul dans la précédente datant de 1975. Le nouveau texte rétablit le contrôle hiérarchique des diverses instances judiciaires et proclame le droit à la défense, antérieurement supprimé. La disposition de 1975 selon laquelle les attributions des parquets incombaient aux organes de la sécurité publique des divers échelons (eh oui!) est abolie, ainsi, on veut l'espérer, que la regrettable confusion qu'elle instaurait.

Dix-sept articles au lieu de quatorze traitent des droits et des devoirs fondamentaux des citoyens. L'ensemble va dans le sens d'un relatif renforcement des libertés, mais extrêmement limité par la disposition de l'article 56 qui précise que les citoyens « doivent être pour la direction du parti communiste chinois et pour le régime socialiste ». Il est vrai que la Constitution de 1975 en faisait le devoir et le droit (*sic*) fondamental, et l'avait placé en tête de son énumération. Sous cette réserve — de taille —, le citoyen chinois jouit en théorie de la liberté de religion, de parole, de presse, de correspondance, d'association, de réunion et de grève. Les citoyens voient consacré leur droit d'expression, d'exposé, d'affichage, de débat (*dami, dafong, dazibao, datien-*

louen) aux termes de l'article 45. L'ancien article 13 le reconnaissait aussi mais en soumettait l'exercice à un objectif : consolider la dictature du prolétariat. L'article 18 prive de droits politiques les propriétaires fonciers, les paysans riches et les capitalistes réactionnaires qui refusent de se rééduquer. La même disposition se trouvait dans l'article 14.

Il y a lieu d'apprécier avec méfiance les Constitutions des Républiques marxistes. L'U.R.S.S. stalinienne avait produit sa Constitution la plus « libérale » à l'époque où les purges prenaient leur maximum d'extension. Dans ces régimes en trompe l'œil, les textes ne sont souvent que des manifestes qui s'intègrent parfaitement aux grandes opérations de camouflage, et point du tout la base du fonctionnement des institutions.

Ainsi, la Constitution chinoise qui fut adoptée en 1954 reconnaissait aux citoyens chinois les mêmes libertés individuelles qu'en 1978 ; elle précisait notamment qu'aucun citoyen ne pouvait être arrêté sans décision d'un tribunal, l'arrestation devant être effectuée par les services de la sécurité publique. Edgar Snow, le grand journaliste américain ami de Mao, n'en signalait pas moins dans le chapitre 43 de son livre intitulé *The Other Side of the River* [17] l'existence d'une loi dont le texte, publié par *le Quotidien du peuple* du 4 août 1957, prévoyait que les « oisifs », les « gens indisciplinés » et les « gens expulsés de leurs organisations et sans ressources » pouvaient être soumis à la rééducation par le travail manuel, *laojiao*. Tous ceux qui ont vécu en Chine savent que le *laojiao* est chose courante. Nous avons dit au chapitre

17. Random House, New York 1962.

premier qu'il s'agit d'un travail correctif qui ne doit pas excéder un an en principe, la peine s'effectuant généralement dans l'entreprise. Par indiscipline, il faut souvent entendre les rapports sexuels entre célibataires et l'adultère, qui sont sévèrement proscrits [18]. Il peut s'agir aussi d'un simple anticonformisme trop voyant. L'individu concerné se verra contraint de faire son autocritique, de ne pas sortir de son appartement ou de son bureau pendant un temps, puis de travailler aux cuisines ou ailleurs pour sa rééducation. La surveillance est faite par les collègues ou camarades d'atelier, sur directive du Comité du parti et sans intervention de la police.

Edgar Snow remarquait qu'aux termes de la loi, la décision de placer une personne dans cette situation pouvait être prise par le ministère de la Sécurité publique, un chef de famille, un comité de quartier, une entreprise ou une école, le tout moyennant l'accord de l'autorité administrative à l'échelon supérieur, mais *sans procès*. Le journaliste américain, dont on sait l'objectivité qu'il montra envers le régime maoïste, écrivait ceci : « Inutile de dire que la loi pour `` transformer les oisifs '' pouvait s'appliquer aux communistes expulsés du parti. Il était également évident qu'elle était entièrement inconciliable avec les libertés individuelles et les garanties contre les perqui-

---

18. L'homosexualité est considérée comme un « crime » très grave. Elle est punie de très lourdes peines de prison. Elle relève non pas de la rééducation mais de la réforme par le travail manuel (*laokaï*). La réforme est précédée d'un procès. Le condamné au *laokaï* perd ses droits civiques, le condamné au *laojiao* les conserve. C'est la distinction maoïste entre contradictions antagoniques et non antagoniques.

sitions et les arrestations sans mandat, *en dépit de la Constitution.* »

Il faut remarquer que si la loi de 1957 sur la rééducation par le travail manuel est toujours en vigueur, elle est en contradiction avec le nouvel article 47, qui précise : « Aucun citoyen ne peut être arrêté sans la décision d'un tribunal populaire ou l'approbation d'un parquet populaire, et l'arrestation doit être opérée par les services de la sécurité publique. » Certains fonctionnaires du parti pourraient soutenir que les personnes concernées ne sont pas arrêtées. Il ne faut pas jouer sur les mots. Quelqu'un qui n'est pas libre de se déplacer et qui doit demeurer enfermé, même chez lui, sous surveillance (fût-ce de ses voisins ou camarades de travail), n'est pas libre, même s'il n'est pas *stricto sensu* incarcéré [19]. Si cette loi n'est pas abrogée, elle est inconstitutionnelle aujourd'hui comme elle l'était en 1961 quand Snow écrivait son livre.

Les excès de la Révolution culturelle s'expliquent en partie par l'absence de barrières juridiques. Il faut donc accueillir comme un progrès, si mince soit-il, le projet de rédaction d'un Code pénal et d'un Code civil annoncé le 16 mars 1978 par *le Quotiden du peuple.* Point d'illusion toutefois, l'idéologie continue à primer le droit en Chine populaire. Aussi longtemps qu'il en sera ainsi, il faudra déterminer si les textes juridiques ne servent pas de simple paravent à la violence étatique. Il suffit de songer qu'un mois avant la proclamation de cette nouvelle Constitution censée traduire une évolution plus « démocratique », des

19. Notons cependant que le *laojiao* s'effectue parfois en prison ou en atelier pénitentiaire.

voyageurs venus de Hangtcheou signalaient l'exécution dans cette ville de huit personnes. Selon des avis officiels placardés sur les murs et datés du 30 janvier, les condamnés, jeunes pour la plupart, étaient accusés de « s'être livrés à des activités contre-révolutionnaires avec programme politique », d'avoir été « poussés par un profond mécontentement contre le Comité central ayant à sa tête le président Hua », et d' « avoir voulu diffuser une propagande visant à saper le système socialiste[20] ». Les commentaires sont superflus.

20. *Le Monde*, 28 février 1978.

ANNEXE DU CHAPITRE V

A. *L'État-soupçon.*

Doit-on s'étonner qu'une formation sociale qui tend à étiqueter chaque Chinois selon son origine de classe établisse ses règles de sécurité en soupçonnant a priori des catégories entières de la population? Nous avons expliqué au chapitre premier qu'en dépit d'une référence occasionnelle et passablement théorique au comportement individuel pour juger de l'appartenance effective ou non aux rangs révolutionnaires, le pouvoir n'avait jamais renoncé aux statuts de classe et que ceux-ci, *volens nolens,* tendaient à devenir héréditaires. L'État chinois est soupçonneux. Il l'a toujours été. Il l'est resté au plus fort des troubles et des désorganisations de la Révolution culturelle, ainsi que le montre cet extrait d'un document publié en janvier 1967, qui émanait à la fois du Comité central et du gouvernement et traitait du renforcement de la sécurité publique. Notons toutefois qu'au moment de sa publication, ce document ne fut pris en considération par personne, car il parut à un moment où le mouvement de masse était en plein essor. Pendant l'été 1968, il fut publié une seconde fois et servit de base au déroulement de la campagne d'épuration des rangs de classe.

« Les éléments de cinq catégories noires, les gens rééduqués par le travail manuel (*laojiao*) et les gens affectés à la réforme dans des fermes d'État (*laokaï*) après achèvement de leur peine, les cadres du parti réactionnaire (*Kouomintang*) et de ses organisations de jeunesse, les responsables moyens et inférieurs des groupes taoïstes et les prêtres taoïstes, les officiers de l'armée fantoche (régime projaponais) du grade de capitaine et au-dessus, les fonctionnaires gouvernementaux (chefs de *pao* et au-dessus), fonctionnaires de police (commissaires et au-dessus), gendarmes, agents spéciaux, gens relâchés à l'expiration de leur peine, ou après rééducation mais insuffisamment corrigés, les spéculateurs, les parents (*s'ils ont une attitude réactionnaire*) des contre-révolutionnaires exécutés, emprisonnés, surveillés ou n'entrant pas dans ces catégories, ne doivent pas échanger d'expériences révolutionnaires, ni changer leur nom, ni inventer des histoires et s'introduire dans les organisations de masse pour y inciter à la violence et encore moins établir leurs propres organisations.

S'ils se livrent au sabotage, ces éléments doivent être sévèrement punis. »

(Source : *Survey of China Mainland Press* 4235, 9 octobre 1968. Voir aussi : *Chinese Communist Party Documents of the Great Cultural Proletarian Revolution*, Union Research Institute, Hong Kong.)

[Ce document a été publié maintes fois et revêt un caractère d'absolue authenticité. L'auteur l'a eu en main à Pékin peu de temps après sa diffusion.]

Ce texte fut publié sous la responsabilité des plus hauts dirigeants de l'époque : Mao et Chou notamment. Il illustre on ne peut mieux la politique et le caractère de l'État chinois. On notera que les gens ayant servi l'ancien régime sont répertoriés, surveillés, frappés d'ostracisme et privés de droits politiques, dix-sept ans après la prise du pouvoir. On remarquera qu'en dépit d'occasionnelles déclarations des dirigeants chinois en sens contraire, ce texte publié sous l'autorité du gouvernement encourage la notion d' « hérédité politique », puisqu'il range les parents de contre-révolutionnaires parmi les suspects. De simples liens familiaux sont tenus pour une tare. Certes, le texte pose une condition : « s'ils ont une attitude réactionnaire ». Le principe de considérer à la fois l'origine familiale *et* le comportement est sauf. Mais il reste que les intéressés forment une *catégorie* a priori suspecte et répertoriée comme telle. A eux de montrer *individuellement* qu'ils n'ont rien à voir avec leurs parents.

On notera aussi le vague juridique de certaines formulations comme « ou n'entrant pas dans ces catégories », qui permettent d'incriminer pratiquement n'importe qui.

Un autre document montre jusqu'où peuvent aller ces classifications qui empoisonnent toute l'atmosphère politique chinoise. Le 27 décembre 1967, un Comité uni des travailleurs de l'enseignement se réunit à l'initiative et sous l'autorité de la municipalité de Changhaï, pour examiner le problème de l'épuration du corps des professeurs.

« Les éléments bourgeois et les petits propriétaires [*avant la révolution, devenus enseignants depuis, J.D.*], ne peuvent adhérer aux groupes rebelles [*organisations de masse, Gardes rouges, J.D.*], ni les cadres (y compris des échelons de base) des partis et des organismes démocratiques [1], ni le personnel dont l'origine de classe est peu claire [*sic*]. »

(Source : *Survey of China Mainland Press* 4227, 29 juillet 1968.)

1. Il s'agit de partis ralliés au régime et représentés par des députés à l'Assemblée. Cela donne une idée de leur indépendance politique et de la haute estime en laquelle ils sont tenus par les communistes au pouvoir.

Ce régime croit à la prophylaxie politique, le pouvoir d'État y repose sur une sorte de guerre civile froide. Ses textes officiels, quand on sait les lire, sont on ne peut plus éclairants à ce sujet.

B. *Le problème des droits de l'homme vu par le ministre des Affaires étrangères Houang Hua.*

Le texte suivant est extrait d'une longue analyse de la situation internationale faite le 30 juillet 1977 devant de hauts fonctionnaires des organes centraux du parti et du gouvernement chinois. Ce document appelle peu de commentaires, il montre clairement combien la notion de droits de l'homme est étrangère à la mentalité des bureaucrates chinois. Il nous apprend qu'au sein même du parti, « certains camarades » ont soulevé le problème du respect de la personne humaine en Chine. On notera néanmoins que l'auteur de l'affiche, un enseignant de l'université Tsinghua, réclamant seulement la publication de la Déclaration d'Helsinki, se voit aussitôt accusé d'être un contre-révolutionnaire actif! Dans l'esprit du ministre, la simple demande d'information est assimilée à une action hostile au régime. La référence à un oncle membre du Kouomintang illustre parfaitement ce que nous disions au chapitre premier sur la persistance des statuts de classe. Ces propos ont été tenus par un des plus hauts personnages de l'État chinois. Ils ramènent à leur juste valeur les proclamations sporadiques du régime selon lesquelles les citoyens sont jugés d'après leur comportement. En fait la notion d' « hérédité politique » pèse d'un poids écrasant.

... « Récemment certains camarades ont soulevé le problème des droits de l'homme. Quelques contre-révolutionnaires et des gens qui y ont intérêt ont, dans l'ombre, suscité des troubles afin de nuire au système socialiste fondé sur le centralisme démocratique. Est-ce vrai, comme le soutient une poignée de gens, qu'en Chine il n'y a que centralisme sans démocratie, discipline sans liberté et unité de volonté sans satisfaction et sans entrain? Est-ce vrai que les droits de l'homme n'existent pas en Chine? Il est exact, nous le disons, que la Chine n'accorde pas la liberté de parole et le droit de vote à une poignée de gens[2] et de plus elle les maintient sous surveillance et exclut toute bienveillance à leur égard. Notre pays garantit à plus de 90 % de la population les droits démocratiques les plus larges. Malgré cela, il y a des camarades qui n'apprécient pas l'avantage de vivre sous ce régime. Ils ont des idées confuses, ils rejettent ce qu'on dit et même se font inconsciemment l'écho des points de vue de l'ennemi de classe en tenant des propos antisocialistes. Ceci indique qu'ils ont des problèmes idéologiques. Attention : une erreur, si elle n'est pas corrigée à temps, devient une faute grave. Si les contradictions au sein du peuple se développent sans obstacles, elles se transforment en contradictions entre l'ennemi et nous.

Les pays bourgeois utilisent souvent les droits de l'homme comme moyen de tromper les masses, afin de détourner leur attention des contradictions de classe à l'intérieur du pays, d'affaiblir la capacité de combat des prolétaires, de camoufler l'impitoyable exploitation des travailleurs par les capitalistes et de faire du battage pour la soi-disant démocratie des cliques dirigeantes. Quand les pays occidentaux où la bourgeoisie est au pouvoir ont-ils accordé des droits au peuple? Certains diront : les Américains n'ont-ils pas le droit d'élire leurs sénateurs et leur président, n'ont-ils pas le droit de récuser le président, n'est-ce pas ce qu'ils ont fait pour Nixon? Nixon a été renversé par cette procédure[3]. Alors ça semble tenir debout. Ford a succédé à Nixon, puis il s'est effacé devant

---

2. Il s'agit des cinq catégories noires, désormais portées à huit.
3. Erreur historique : Nixon démissionna sous la pression de l'opinion publique, de la presse et des élus.

Carter. Peu importe qui dirige : il défend toujours les intérêts de la bourgeoisie et le pouvoir n'a jamais été remis au peuple. La chute de Nixon ne représente pas la prise victorieuse du pouvoir par le prolétariat, c'est le renversement sensationnel d'un politicien bourgeois représentant un certain groupe d'intérêts par un autre groupe d'intérêts. Ceci fut toutefois utilisé pour embellir le système politique décadent des États-Unis et pour montrer que leur démocratie fonctionne. [...]

[Au XIᵉ Congrès tous les participants] ont critiqué la théorie des droits de l'homme en soulignant qu'elle nie la lutte de classes et prétend transcender la notion même de classe, qu'elle repose en fait sur la notion d'harmonie entre les classes. Certains ont cité en exemple le fait que 10 % de la population américaine seulement jouit des droits de l'homme alors que 90 % en sont privés. C'est une bonne chose que de nombreux camarades à travers leurs souvenirs, en comparant le présent et le passé, aient démontré la supériorité du système socialiste.

L'étude permettra de mieux comprendre le problème. Il y a toutefois des cas où la question n'est pas de comprendre. Un journal mural est apparu à l'université Tsinghua sous le titre : `` Pourquoi ne publie-t-on pas le texte complet de la Charte 77 et de la Déclaration d'Helsinki? Troisième appel. '' Savez-vous qui l'a affiché? On a découvert que l'auteur était un droitier, issu, ce qu'on ignorait encore, d'une famille de propriétaires fonciers. Son père avait été classé comme propriétaire foncier à la réforme agraire. Son oncle commandait un bataillon de l'organisation de jeunesse du Kouomintang. C'était donc un contre-révolutionnaire historique. Le neveu est donc un contre-révolutionnaire actif et il est soumis à la surveillance [4]. Il était assistant à Tsinghua et il a exprimé des vues

4. C'est-à-dire qu'il est surveillé par la police et les voisins et doit les informer jour par jour de ses déplacements et de son activité. Plus sévère encore, la surveillance peut comprendre l'obligation de

anti-parti en 1957. On aurait dû le classer comme contre-révolutionnaire à cause de cela. En fait, on a fait preuve de clémence et on ne l'a pas puni. On l'a pincé après l'histoire du journal mural. Son cas a servi à éduquer les étudiants et les professeurs, et a montré aux masses en faveur de qui s'exerçait la campagne de certains pour les droits de l'homme. »

(Source : *Issues and Studies,* vol. XIV, n° 2, février 1978.)

C. *Mao Tsé-toung et la peine de mort.*

Arrivé à ce point, le lecteur ne s'étonnera guère d'apprendre que dans l'esprit du fondateur du régime, la peine de mort ne doit s'appliquer ni aux membres du parti communiste en général, ni aux officiers, ni aux fonctionnaires, même s'ils sont des contre-révolutionnaires avérés. La peine de mort est réservée au vulgum pecus. Une des raisons invoquées est qu'en cas d'erreur « une tête ne repousse pas comme un poireau ». Celle d'un quidam échapperait-elle à cette règle ?

Mao veut réduire les effusions de sang. Il n'y a pas de doute que ceci est caractéristique de sa pensée. C'est un thème que l'on retrouve dans de nombreux articles publiés à différentes époques et on ne peut l'accuser d'être un tyran avide de violence. Mais ce n'est pas du tout l'humanisme qui l'inspire, ceci est non moins caractéristique de sa pensée, dont le libéralisme est absent. A aucun moment, par exemple, il ne dit que la peine de mort est barbare, son souci est celui de l'efficacité et de l'opportunité politiques.

---

résider dans une petite pièce fermée la nuit et de faire du travail manuel pendant de très longues heures. Cette pratique est courante, quoique totalement illégale. Voir plus haut.

LE RAPPORT ENTRE LA RÉVOLUTION ET
LA CONTRE-RÉVOLUTION

« Je ne m'étendrai ici que sur le problème de l'exécution. Nous avons exécuté un certain nombre de gens au cours du mouvement de répression des contre-révolutionnaires. Quels étaient ces individus ? C'étaient des éléments contre-révolutionnaires qui avaient de lourdes dettes de sang à payer et que les gens du peuple haïssaient profondément. Dans une grande révolution impliquant six cents millions d'hommes, le peuple n'aurait pu se dresser, si l'on n'avait pas supprimé les « Tyrans de l'Est » ou les « Tyrans de l'Ouest ». Sans cette répression, le peuple n'approuverait pas la politique de clémence que nous pratiquons aujourd'hui. Il y a maintenant des gens qui, ayant entendu dire que Staline avait fait tuer à tort un certain nombre de personnes, prétendent que nous avons également exécuté par erreur ces éléments contre-révolutionnaires, ce point de vue n'est pas juste. Affirmer entièrement le bien-fondé de ces exécutions revêt aujourd'hui une signification pratique.

Deuxièmement, il faut reconnaître qu'il existe encore des contre-révolutionnaires, mais que leur nombre a fortement diminué. Le dépistage des contre-révolutionnaires que nous avons effectué à la suite de l'affaire Hou Feng était nécessaire. Il faut continuer de débusquer ceux qui sont restés cachés. Il convient de souligner qu'il existe encore un petit nombre de contre-révolutionnaires qui se livrent à toutes sortes d'activités de sape. Par exemple, ils tuent des bœufs, mettent le feu aux céréales, font du sabotage dans les usines, dérobent des renseignements et affichent des slogans réactionnaires. Donc, il est erroné de dire que tous les contre-révolutionnaires sont éliminés et que nous pouvons dormir sur nos deux oreilles. Tant que la lutte de classes existera en Chine et dans le monde, nous ne devrons jamais relâcher notre vigilance. Néanmoins, il est également faux de dire que les contre-révolutionnaires sont encore très nombreux.

Troisièmement, au cours de la répression des contre-révolutionnaires dans la société, nous devons désormais procéder le moins possible aux arrestations et aux exécutions. Toutefois, comme ces contre-révolutionnaires sont les ennemis qui oppriment directement les gens du peuple et font l'objet de leur haine mortelle, il faut en exécuter un petit nombre. La majorité d'entre eux doivent être confiés aux coopératives agricoles qui se chargeront de les faire participer à la production sous surveillance et de les rééduquer par le travail. Cependant, nous ne pouvons pas encore déclarer qu'aucune exécution n'aura plus lieu, et la peine capitale ne saurait être abolie.

Quatrièmement, en procédant au dépistage des contre-révolutionnaires dans les organismes du Parti et du gouvernement, les écoles et les unités de l'armée, nous devons nous en tenir fermement au principe défini à Yenan : aucune exécution, pas d'arrestation dans la plupart des cas. En ce qui concerne les contre-révolutionnaires, au sujet desquels des preuves solides ont été établies, il appartient aux organismes intéressés d'éclaircir leur cas ; mais les services de sécurité publique ne les arrêteront pas, le parquet n'engagera pas de poursuites et le tribunal pas de procès contre eux. Plus de 90 pour cent des contre-révolutionnaires seront traités de cette manière, c'est ce qu'on appelle « pas d'arrestation dans la plupart des cas ». Quant à la peine de mort, elle ne sera infligée à personne.

Quels sont les gens qui ne seront pas exécutés ? Des individus comme Hou Feng, Pan Han-nien, Jao Chou-che, et même des criminels de guerre faits prisonniers tels que l'empereur Pou Yi et Kang Tseh. S'ils n'ont pas été exécutés, ce n'est nullement que leurs crimes ne justifient pas la peine capitale, mais c'est qu'il n'y aurait aucun avantage à les exécuter. Si l'on supprimait l'un d'entre eux, on se verrait obligé de comparer son cas avec un autre, avec un troisième et ainsi de suite, il s'ensuivrait alors que

beaucoup de têtes tomberaient. Voilà la première raison.
La deuxième, c'est que l'on risque d'exécuter les gens par
erreur. L'histoire atteste qu'une tête, une fois tombée, ne
saurait être remise en place, elle n'est pas comme le poireau
qui repousse chaque fois qu'on le coupe. Si l'on s'est
trompé en coupant une tête, il n'y a aucun moyen de
corriger l'erreur, même quand on le désirerait. La troisième, c'est qu'on risque de détruire des preuves. Pour
procéder à la répression des contre-révolutionnaires, il faut
posséder des preuves. Or, un contre-révolutionnaire constitue le plus souvent une preuve vivante contre un autre; s'il
y a des cas à éclaircir, on peut obtenir de lui des
renseignements. Supprimez ce contre-révolutionnaire, vous
ne trouverez probablement plus jamais de preuves. Cela ne
peut servir que la contre-révolution, et non la révolution.
La quatrième, c'est que leur exécution ne peut contribuer à
l'augmentation de la production, à l'élévation du niveau de
la science, à l'extermination des « quatre fléaux », au
renforcement de la défense nationale ni au recouvrement de
Taïwan. En les exécutant, vous vous faites une mauvaise
réputation, celle de tuer les prisonniers de guerre, ce qui a
été honni de tout temps. Une autre raison encore, c'est que
les contre-révolutionnaires au sein des organismes sont
différents de ceux qui se trouvent dans la société. Ces
derniers pèsent de tout leur poids sur le peuple, tandis que
les contre-révolutionnaires au sein des organismes, qui
n'ont pas de contacts aussi directs avec les masses
populaires, sont l'objet d'une haine générale, mais ne se
sont pas fait beaucoup d'ennemis particuliers. Quel inconvénient y a-t-il à n'exécuter aucun de ces gens-là? Que ceux
qui sont aptes au travail manuel aillent se faire rééduquer
par le travail; quant à ceux qui ne le sont pas, ils seront mis
à la charge de l'État. Les contre-révolutionnaires sont des
déchets, de la vermine, mais, une fois entre nos mains, nous
pouvons faire en sorte qu'ils rendent quelque service au
peuple.

Pourtant, faut-il édicter une loi prescrivant l'abolition de la peine capitale à l'égard des contre-révolutionnaires dans les organismes? Il s'agit là d'une politique à observance interne, et il n'est pas nécessaire de la rendre publique; mais dans la pratique, nous nous efforçons de nous y conformer. Supposons que quelqu'un lance une bombe dans cette salle et tue la totalité, la moitié ou le tiers de ses occupants, qu'en diriez-vous, faut-il l'exécuter ou non? Bien sûr que oui, il doit être exécuté.

Appliquer la politique consistant à n'exécuter personne, au cours de l'élimination des contre-révolutionnaires dans les organismes, ne nous empêche pas d'adopter une ferme attitude à leur égard. D'ailleurs, une telle politique nous préservera de tomber dans des erreurs irréparables et nous permettra de corriger les erreurs commises. Elle peut contribuer à rassurer beaucoup de monde et à éviter la méfiance parmi les camarades du Parti. Ne pas tuer les gens implique la nécessité de les nourrir. Il nous faut donner à tous les contre-révolutionnaires la possibilité de gagner leur vie et l'occasion de rentrer dans le droit chemin. Une telle façon d'agir est profitable à la cause du peuple et aura un écho favorable dans le monde.

Dans la répression des contre-révolutionnaires, des tâches ardues restent à accomplir et nous ne devons faire preuve d'aucun relâchement. Tout en poursuivant la répression des contre-révolutionnaires cachés au sein de la société, il faut désormais continuer de déceler tous les contre-révolutionnaires qui se sont infiltrés dans les organismes, les écoles et les unités de l'armée. Il faut absolument établir une nette distinction entre nous et nos ennemis. Si nous laissons des ennemis s'infiltrer dans nos rangs, voire dans nos organes de direction, quel grave danger cela représente pour la cause du socialisme et la dictature du prolétariat! C'est ce que tout le monde comprend parfaitement. »

(Extrait de *Les dix grands rapports*, 1956. Source : *Pékin information*, n° 1, 3 janvier 1977.)

CHAPITRE VI

CONTINUITÉ ET DISCONTINUITÉ DANS LA CHINE DE HUA KOUO-FENG ET DE TENG SIAO-PING

La Chine a vingt-cinq ans pour rattraper les grandes puissances dans le domaine de l'industrie, de l'agriculture, de la technique et de la défense nationale. On rapproche souvent ce programme du nom de Chou En-laï qui en fit en 1975 l'objectif majeur du gouvernement. La paternité de la formule des « quatre modernisations » revient cependant à Mao Tsé-toung. Elle n'a rien de nouveau et elle n'introduit par elle-même aucune rupture avec la tradition. Aussi bien Hua que Teng s'en réclament, comme s'en réclamait Lin Piao. Il suffit de lire la préface que ce dernier rédigea en 1966 pour la deuxième édition du *Petit Livre rouge* des citations, pour constater qu'elle y figure en bonne place. Les « successeurs » n'ont fait que la reprendre l'un après l'autre; toute la question est de savoir quel contenu lui donner.

Si Hua incarne une certaine continuité et Teng une volonté d'ouverture et même de rupture, et si leur affrontement crée la perspective de prochains conflits critiques, il y a fort à parier que les mêmes mots n'auront pas le même sens pour les différents clans. Quelle part de l'héritage maoïste sera préservée par la nécessaire évolution? Quelle part sera au contraire entamée? Continuité ou discontinuité? L'examen, secteur par secteur, du nouveau cours politique apporte d'appréciables éléments de réponse. Mais il faut remarquer d'emblée que le concept de modernisation se concilie mal avec le rôle de gardien de la tradition qu'assume le président Hua, qui donne souvent l'impression d'être en position défensive.

Que dire de l'évolution idéologique? Une certaine « démaoïsation » paraît inévitable. Si dans trente ans la Chine continue à brandir les citations de Mao comme des vérités éternelles, la cinquième modernisation, celle de la pensée, dont on ne parle jamais mais qui conditionne peut-être les autres, restera à accomplir. Le dogmatisme risque d'être un lourd fardeau pour l'avenir, et de récents articles abordent de front la question. Petit signe révélateur : la presse chinoise cite désormais Mao sans imprimer ses phrases en caractères gras, contrairement à l'habitude prise en 1966. Le formalisme recule lentement et la pensée du défunt change peut-être de statut. Sans doute est-il également significatif que les discours de Teng Siaoping soient presque dépourvus de citations [1].

L'économie.

Les ambitions de la Chine dans le domaine industriel sont gigantesques. Qu'on en juge : avant l'an 2000, nous dit la presse, « la production des principaux produits devra approcher ou dépasser le

1. Ce passage a été écrit avant les événements de novembre 1978. Le 16 de ce mois-là un article du *Quotidien du peuple* a critiqué Mao (sans le nommer). De nombreuses affiches l'ont critiqué nommément dans les rues de Pékin.

niveau des pays capitalistes les plus développés; les opérations essentielles seront automatisées; la plupart des moyens de transport atteindront une haute vitesse; la productivité sera considérablement élevée, de nouveaux matériaux et de nouvelles sources d'énergie seront largement utilisées; les produits principaux et la technologie devront réaliser leur modernisation; les normes de l'économie et des techniques approcheront, rattraperont ou dépasseront le niveau mondial[2] ».

Ajoutons que le programme du plan décennal prévoit pour 1985 une production d'acier de 60 millions de tonnes et une augmentation de la valeur globale de la production industrielle de 10 % par an.

Peut-on atteindre de tels buts sans un système de gestion des entreprises fondé sur la responsabilité du directeur, sans une spécialisation poussée des tâches et une diversification des rémunérations? Pourra-t-on éviter un renforcement de la discipline et des contrôles ministériels, impliquant l'accroissement des structures verticales de commandement aux dépens de la décentralisation propre au socialisme chinois?

En été 1977, le Comité central a publié une décision en trente points sur l'industrie, qui fixe des règles parfaitement contradictoires. Ainsi, le principe de la responsabilité unique des directeurs d'usine est reconnu, mais elle doit s'exercer sous l'autorité des comités du parti. L'industrie doit être réorganisée selon le principe de la spécialisation mais aussi de la coopération. La priorité est donnée au développement industriel et énergétique, ainsi qu'à l'extraction des matières premières et aux transports, mais l'envi-

2. *Pékin information*, n° 26, 3 juillet 1978 : « Moderniser l'industrie », par Ki Ti.

ronnement doit être protégé. Ces unités de contraires sont parfaitement dans la tradition. Il faut toutefois souligner que ce document en trente points s'éloigne de la Charte d'Anshan, qui fut longtemps la seule référence admise en la matière puisque rédigée par Mao en personne [3]. Voici quelques-uns des principes de la Charte : toujours mettre la politique au poste de commandement, renforcer la direction du parti, organiser de vastes mouvements de masse, faire participer les ouvriers à la gestion et les cadres au travail productif.

Si l'on rapproche ces principes des trente points, on constate facilement la différence. La Charte est un document d'inspiration militante, pour ne pas dire gauchiste. Elle met l'accent sur le rôle du *comité* du parti, c'est-à-dire sur la direction collective, elle souligne la participation ouvrière et la « prolétarisation » des cadres, c'est-à-dire qu'elle encourage la coopération et non la spécialisation qui engendre la hiérarchie et la multiplication des couches catégorielles. Les trente points ne rejettent pas les principes de la Charte, ils s'efforcent de les associer à d'autres opposés et ils marquent bel et bien un glissement par rapport aux idées de Mao. Ils amalgament certaines vues traditionnelles et les exigences des managers. Il n'est pas exagéré de considérer que la logique même du développement industriel favorisera sans cesse les seconds.

Les objectifs de l'agriculture sont plus ambitieux encore. La Chine nourrit un cinquième de la population mondiale avec une surface cultivée qui représente à peine 7 % du globe et sa production céréalière

---

3. Anshan est un grand complexe sidérurgique du Nord-Est.

plafonne. Les projets gouvernementaux sont d'atteindre 400 millions de tonnes en 1985 et 650 à la fin du siècle. Compte tenu du fait que la population avoisinera alors le milliard d'hommes, il s'agirait là véritablement d'un « grand bond en avant ». Dans le passé la production agricole n'a pas atteint les niveaux espérés et annoncés; elle a longtemps stagné et est demeurée instable. La nouveauté n'est pas qu'on nous présente des programmes de développement sensationnels mais qu'ils semblent appuyés sur des plans rigoureux d'aménagement des terres, sur l'utilisation complète des sciences et des techniques, les découvertes de l'ingénierie génétique et les recherches théoriques concernant la photosynthèse. Cela semble exclure les grandes campagnes de mobilisation populaire et le « spontanéisme » qui a caractérisé le Grand Bond de 1958.

Les textes chinois traitant de ces problèmes placent heureusement la protection de l'environnement au nombre des exigences à satisfaire : ainsi la superficie des forêts devrait s'accroître et les montagnes dénudées se recouvrir de végétation. Il faut reconnaître qu'un tel développement industriel et agricole, s'il demeurait écologique, constituerait un formidable défi à l'Occident capitaliste. Il faut dire à cet égard que la percée économique des pays du tiers monde n'est pas quelque chose abstraitement désirable, c'est une impérieuse nécessité. Beaucoup de gens ont compris en Europe (moins en Amérique, semble-t-il) que les inégalités entre nations sont dangereuses, car elles risquent de compromettre l'avenir de tous. Le vieux continent en particulier ne sortira pas de la récession par une misère accrue du tiers monde. Il est souhaitable notamment que la Chine parvienne à se développer de façon équilibrée, sans qu'une minorité privilégiée en expansion prélève une part croissante du revenu national : on sait que dans de nombreux pays pauvres, ceci constitue un obstacle fondamental à tout progrès. Or, un essor favorisant la centralisation du pouvoir, laquelle devrait en retour stimuler la production, ouvre le risque d'une prolifération des apparatchiks et des féodalités à la fois bureaucratiques et technocratiques. Beaucoup dépendra des contrepoids qu'on y opposera. L'ivresse productiviste qui paraît gagner les hautes sphères du parti communiste chinois n'autorise à cet égard qu'un optimisme limité.

Le but des sociétés qui s'affirment socialistes est le communisme. Celui-ci doit reposer, entre autres, sur l'abondance, afin d'assurer la répartition selon les besoin de tous. On sait aujourd'hui qu'il s'agit là d'un rêve irréalisable. L'abondance des biens, si elle existe un jour, sera très relative, car les ressources de notre planète sont limitées. Elles seraient vite épuisées si un milliard de Chinois vivaient dans une économie égalant les niveaux les plus avancés du monde. A moins, bien sûr, d'inventer parallèlement, à l'échelle du globe tout entier, un mode de vie et de répartition nouveau, excluant la consommation frénétique, où les rapports des hommes soient empreints d'altruisme, associatifs et non répressifs ou compétitifs. Bref, à moins de créer un « homme nouveau », ce qui était précisément l'objectif affirmé de la Révolution culturelle qui vient de s'achever. On en est loin et il est évident que tout cela est incompatible avec l'accroissement des privilèges d'une minorité, le « renforcement du rôle dirigeant du parti » et l'ossification verticale des structures étatiques.

L'enseignement.

L'école fut un des théâtres privilégiés de la Révolution culturelle. C'est dans les universités et les lycées qu'elle a commencé. A chaque phase importante de la « lutte entre deux lignes », les étudiants se sont affrontés et divisés; c'est à l'université que se sont déroulés les débats idéologiques les plus âpres, c'est là qu'a débuté en 1976 la critique de Teng Siao-ping, c'est là que les partisans de la « bande des quatre » ont été les plus nombreux. L'école fut un des enjeux centraux des combats de la décennie écoulée : pour la gauche, l'enseignement devait produire des hommes ayant réformé leur idéologie, à la fois intellectuels et manuels, dont la polyvalence effacerait la millénaire division du travail, dont la morale hautement collective rendrait l'État un jour inutile; pour la droite liouchao-chiste, l'enseignement devait avant tout fournir au pays les spécialistes, les cadres, les gestionnaires dont il avait besoin. Deux conceptions totalement opposées.

La Révolution culturelle avait institué le recrutement prioritaire des étudiants chez les « jeunes ouvriers, paysans et soldats », la combinaison du travail et de l'étude, la refonte des manuels, la réduction du cycle d'étude. L'abandon des critères académiques de sélection au profit des critères de classe, moraux et politiques, fut de toutes les réformes la plus marquante. A l'heure des quatre modernisations, il est intéressant de faire le point sur la politique suivie dans ce domaine. Où en est la réforme de l'enseignement? Quel est le statut des porteurs de connaissance dans la société chinoise? Sur quoi repose le mode d'appropriation du savoir?

Jusqu'en octobre 1976, les lycéens partaient tous travailler à la campagne ou à l'usine à la fin du deuxième cycle. Plus tard, devenus « ouvriers » et « paysans », ils pouvaient demander à être admis à l'université. S'ils obtenaient l'accord de leurs compagnons de travail et du comité du parti local, si leur moralité était bonne, leur dévouement à la collectivité notable, leur niveau politique bon, ils pouvaient faire acte de candidature. Une somme de connaissances adéquates était nécessaire, mais ce n'était là qu'une condition parmi d'autres. Néanmoins, on comprend qu'à elle seule, elle ait suffi à opérer un tri considérable parmi les jeunes « ouvriers et paysans ». Ceux qui étaient issus de familles d'intellectuels et de cadres, ayant trouvé dans leur environnement natal des avantages importants, se retrouvaient forcément en grand nombre parmi les candidats à l'enseignement supérieur. En 1974, sous l'influence des « quatre », on bouscula quelque peu ce critère des connaissances pour imposer l'entrée de jeunes d'origine purement ouvrière ou paysanne[4].

Leur propagande créa une atmosphère telle que les administrateurs universitaires n'osèrent plus procéder à la moindre sélection; un processus classique, bien connu dans les écoles françaises, s'engagea : nombre d'élèves ne parvenaient pas à suivre efficacement des

---

4. On pense aux universités américaines, où le recrutement des étudiants appartenant aux minorités ethniques s'effectue parfois selon des quotas préalables. Ici, le quota reposait sur la classe et non pas sur la race, et ceux que l'on cherchait à avantager étaient la majorité.

cours dont le niveau pourtant ne cessait de baisser. Tout cela a désormais changé.

Le 22 avril 1978, une Conférence nationale sur l'éducation s'est ouverte à Pékin, à l'issue de laquelle des décisions importantes ont consacré diverses transformations substantielles du système éducatif chinois. Si le rétablissement des examens d'entrée n'indique pas à proprement parler un renversement de tendance — il ramène à la situation de 1973 plutôt qu'il ne contredit les principes de la Révolution culturelle [5] —, le système se trouve tout de même profondément modifié puisque tous les lycéens ne partent plus dans l'agriculture et l'industrie. Ils peuvent demander à passer immédiatement leur examen d'entrée dans le supérieur. On estime que 30 à 50 % des nouveaux étudiants proviendront directement des lycées en 1978. Quant à ceux qui sont déjà engagés dans la production, ils doivent posséder de toute façon un niveau d'instruction correspondant au diplôme du deuxième cycle, en plus des conditions politiques et morales traditionnelles pour poser leur candidature. Cette exigence n'est pas nouvelle mais on peut penser qu'elle sera imposée avec plus de rigueur aujourd'hui.

Les 30 à 50 % directement admis se recrutent plus particulièrement parmi les élèves ayant montré des aptitudes à la recherche. Ils feront du travail manuel une fois devenus étudiants, mais par périodes. Ce travail manuel ne devra pas excéder 30 % de leur temps d'étude et correspondra à la spécialité étudiée.

En associant les lycéens déjà établis en zone rurale et les nouvelles promotions annuelles, le système

5. Celle-ci n'a pas en effet supprimé la sélection, nous l'avons vu, mais les critères selon lesquels elle s'exerçait.

permettra de recruter les étudiants parmi un plus grand nombre de candidats et donc de former massivement des spécialistes et des chercheurs. C'est le but avancé par la Conférence nationale d'avril, qui a souligné que les « quatre modernisations » en dépendaient.

L'examen objectif de ces mesures ne permet pas encore de conclure à un changement de cap complet par rapport à la Révolution culturelle : les exigences politiques demeurent, ainsi que, pour le plus grand nombre, les stages pratiques et l'obligation du travail manuel. On a simplement cherché à concilier les besoins de la société et les nécessités impérieuses du développement économique avec les canons de l'orthodoxie maoïste. Mais s'il n'y a pas un renversement de l'orientation, il y a là encore un glissement, dont toute la question est de savoir s'il n'en annonce pas plusieurs autres semblables. Selon ce qui se dit à Pékin, la Conférence nationale sur l'éducation a donné lieu à de vives polémiques ; certains n'hésitant pas à dénoncer un retour au liouchaochisme, d'autres exprimant leur inquiétude de voir augmenter la proportion d'étudiants issus des classes exploiteuses. Ces appréciations excessives étaient sans doute marginales, mais elles n'en traduisaient pas moins l'existence d'une opposition, que confirme l'agitation à l'université de Pékin. En mars dernier, des étudiants recrutés selon l'ancien système ont affirmé leurs droits et placardé des journaux muraux dénonçant la « restauration de la classe bourgeoise ». Ils répondaient à un instituteur du Chensi qui avait apposé une affiche d'inspiration toute différente : se disant victime des « quatre », il déclarait avoir été empêché de faire des études supérieures alors qu'il en avait l'aptitude. Cette possibilité avait été réservée, selon lui, à des « rustres incultes ».

En conclusion, on peut dire que rien n'est encore joué dans le domaine scolaire et universitaire. Cependant, il sera difficile d'éviter que les exigences du développement et de la modernisation n'engagent une dynamique « élitiste », privilégiant sans cesse les critères académiques aux dépens des normes politiques et peut-être des « statuts de classe ». Récemment un ministre chinois en voyage à l'étranger a évoqué la création d'écoles « favorisant les études des plus doués ».

Les cadres et les écoles du 7 mai[6].

L'éducation idéologique des cadres a peu changé aussi. Elle a lieu dans des écoles spéciales, appelées écoles du 7 mai, instituées à partir de 1969 à titre expérimental et généralisées en 1972. Les fonctionnaires de l'administration chinoise s'y retrouvent pour des séjours de six mois à un an, à des intervalles non précisés. Presque tous y ont aujourd'hui accompli un stage. Le terme d'école rend imparfaitement compte du rôle de ces institutions, où les pensionnaires travaillent de leurs mains la moitié du temps. Ils cultivent des champs généralement concédés par des fermes d'État et passent leurs après-midi à étudier les classiques du marxisme et les œuvres de Mao Tsétoung. Ils touchent leur salaire et demeurent un mois

6. Le 7 mai 1966, dans une lettre d'ailleurs adressée à Lin Piao, Mao recommandait que les cadres participent à la production et fassent de l'entraînement militaire.

dans une famille paysanne, sur les six à douze qu'ils passeront loin de leur bureau.

Il semble que d'âpres polémiques aient accompagné la naissance des écoles du 7 mai. A en croire la propagande diffusée en 1973, Lin Piao se serait opposé à leur création, prétextant qu'il s'agissait là de « travaux forcés » et de « chômage déguisé ». La réfutation du maréchal ayant abondé en contre-vérités majeures, on ne peut qu'accueillir avec circonspection cette accusation, fondée sur une ou deux phrases contenues dans un document écrit par son fils Lin Li-kouo[7]. Il est plus vraisemblable que Lin ait contesté la nécessité d'établissements où les agents de l'État se retrouveraient ensemble, séparés des paysans la plupart du temps. Après tout, si le but recherché était de combattre la bureaucratisation et de faire que les fonctionnaires restent des travailleurs, le mieux n'était-il pas de les envoyer directement partager le sort et le labeur des masses? C'est la question que posent invariablement toutes les délégations étrangères visitant ces « écoles », ce qui plonge les responsables et les interprètes dans un embarras profond. La réponse assez désinvolte qui est le plus souvent donnée est la suivante : le niveau théorique serait trop faible en milieu rural, et les cadres doivent suivre des programmes spéciaux. Soit. Pourquoi ne pas les regrouper uniquement pour l'étude? L'autre réponse courante est qu'un séjour direct en milieu paysan entraînerait une dégradation de leurs conditions de vie qui risquerait d'apparaître comme une pénalisation et ne créerait pas les conditions psychologiques appropriées pour leur « transformation idéologique ».

7. Voir le document 571, en annexe du chapitre vII.

Soit encore. Mais depuis quand des révolutionnaires font-ils passer leurs avantages matériels avant la révolution?

La vérité nous semble être que les fonctionnaires forment une couche sociale qui accepte de rester, bon gré mal gré et pour le moment, en contact avec le travail manuel, mais qui ne tient pas à se fondre avec les travailleurs. Elle veut bien se nier symboliquement par la participation à la production, mais refuse de s'effacer effectivement en tant que groupe différencié, ne fût-ce que pour une courte période. Ce penchant politique est renforcé par une lourde tradition élitaire qui conduit beaucoup de Chinois à concevoir la vie sociale en termes de hiérarchies. Les écoles du 7 mai sont sans doute issues à l'origine d'un compromis entre la répugnance des cadres à perdre leur statut et la nécessité de prévenir leur transformation en gratte-papier intégraux. Il faut donc souligner une des limites de l'institution qui, si elle assure bien le contact avec le travail manuel, renforce aussi la conscience des stagiaires d'appartenir à un milieu différencié. A ce vice fondamental s'en ajoute un autre. Les écoles devaient initialement prendre exemple sur l'Armée populaire de libération qui, tout en effectuant ses tâches spécifiques, gère des usines et des fermes et produit une partie de ses ressources, allégeant ainsi les dépenses publiques. Les écoles devaient donc produire et vendre, ce qu'elles font effectivement. Seulement, loin de réduire la charge de l'État, elles l'augmentent, parce que ce qu'elles produisent ne couvre pas leurs besoins. L'État est donc obligé de verser des allocations importantes pour leur permettre de se suffire en produits alimentaires, en viande notamment. Certes, l'armée non plus ne se suffit pas à elle-même mais, comme elle est nécessaire de toute façon, elle évite en produisant d'être entièrement parasitaire. Comme les écoles du 7 mai ne sont pas à proprement parler indispensables, elles ne font qu'ajouter aux obligations de l'administration qui doit déjà payer les nécessaires traitements de ses agents. On pourrait soutenir que la rééducation idéologique des cadres est tout aussi importante que les exercices militaires et que, grâce à leur travail productif, elle s'effectue aux moindres frais. L'ennui est qu'il existera toujours des fonctionnaires et de hauts dirigeants pour estimer que cette formation pourrait se faire, encore plus économiquement, dans les traditionnelles écoles du parti fermées pendant la Révolution culturelle.

C'est pourquoi la réouverture de l'École des cadres dépendant du Comité central, le 9 octobre 1977, pourrait bien constituer un pas dans cette direction. Certes, une fois de plus, selon un balancement caractéristique du régime actuel, la décision officielle précise que les écoles du 7 mai *et* celles du parti sont également utiles et doivent établir une « division du travail » entre elles. On ne peut s'empêcher toutefois de s'interroger sur l'avenir à long terme de cette coexistence.

Au total, on est frappé, après dix ans de Révolution culturelle, par la modestie des mesures prises pour limiter ce fléau notoire des régimes socialistes : l'encroûtement des fonctionnaires et la prolifération des ronds-de-cuir, dans un pays qu'accable déjà la tradition mandarinale. L'atmosphère actuelle n'est guère favorable au renforcement de ces mesures, bien au contraire. Le développement industriel va accaparer de nombreux cadres et ne pourra que limiter leur disponibilité pour ces longs séjours loin des bureaux. Il ne manquera pas de gens pour soutenir que leur efficacité n'a rien à gagner à ces stages sans rapport avec leur activité quotidienne et déjà souvent qualifiés de perte de temps.

La politique étrangère.

La diplomatie de Zhongnanhaï n'a été qu'indirectement affectée par les vicissitudes de la Révolution culturelle. Elle a été influencée par l'arrivée successive au pouvoir de personnalités aux vues diverses, mais on ne peut pas dire que les éléments de base de la politique étrangère aient été largement débattus. En 1967, au plus fort des offensives radicales qui conduisirent à de violents conflits armés, le ministère des Affaires étrangères fut occupé et son titulaire, Tchen Yi, sévèrement critiqué. On l'accusa d'avoir capitulé devant les impérialistes et les révisionnistes et de n'avoir pas aidé le mouvement de libération nationale. Ceux qui lui succédèrent officieusement et qui, pendant une brève période, tentèrent d'infléchir en un sens militant la politique extérieure de la République populaire, le firent avec tant de maladresse que, pour une fois, la rituelle accusation de sabotage qui les frappa ensuite ne parut pas exagérée.

Sous l'influence des radicaux installés au ministère en cet été 1967, se déclenchèrent toute une série de mouvements de masse, en Birmanie et au Népal, après que les Chinois vivant dans ces pays eurent été invités à « se révolter contre les réactionnaires » et à « diffuser la pensée de Mao Tsé-toung ». Un télégramme fut envoyé à une association d'amitié sino-cambodgienne, lui suggérant plus ou moins de déclencher la lutte armée dans le royaume neutraliste, où régnait alors le prince Sihanouk. Des émeutes à Hong Kong fournirent le prétexte de déclarations enflammées de soutien à la « lutte des compatriotes » et tout fut fait, de Pékin, pour envenimer les choses. Des groupes de Gardes rouges furent incités à attaquer plusieurs missions diplomatiques dans la capitale et celle du Royaume-Uni fut incendiée. Cela ne dura qu'un seul été, suffisamment toutefois pour faire naître les doutes les plus sérieux sur la capacité des gauchistes à concevoir une diplomatie digne de ce nom.

La présence de Lin Piao au pouvoir influença jusqu'en 1969 et même jusqu'au début de 1970 les orientations extérieures de la Chine. Dans un célèbre article intitulé « Vive la victorieuse guerre du peuple », publié en 1965, Lin avait transposé à la situation mondiale le schéma de la révolution chinoise : de même que les campagnes devaient encercler les villes, le tiers monde devait encercler l'Occident et la Russie. La Chine constituait une zone libérée, l'Asie, l'Afrique, l'Amérique latine formaient la zone des tempêtes et devaient, surtout par la guérilla, briser l'impérialisme. Cette conception favorisait le soutien des mouvements de libération plutôt que celui des États en place.

La chute de Lin Piao entraîna celle de ses théories. Chou En-laï, grand diplomate, reprit le ministère des Affaires étrangères en main, renoua avec les chancelleries et réussit, en quelques années, à faire sortir la Chine de son isolement, à lui redonner son siège à l'O.N.U. et à obtenir sa reconnaissance par les États-Unis. Depuis 1972, les remous de la politique intérieure n'ont guère troublé cette ligne, tandis qu'au fil des ans s'est élaborée une véritable doctrine de politique étrangère dont Mao fut l'inspirateur et Chou le subtil exécutant. On l'appelle la théorie des trois mondes.

Elle repose sur une conception stratégique qui souligne le rôle du tiers monde. Bien que sous ce terme les Chinois désignent « les colonies, les semi-colonies, les nations et les peuples opprimés », leur pratique diplomatique paraît privilégier le rôle des États, plus que celui des mouvements de libération. Ceci a valu à Pékin de vives attaques de l'Albanie.

L'ennemi c'est le premier monde, c'est-à-dire les États-Unis et l'U.R.S.S., mais la seconde des super-puissances est la plus dangereuse. L'U.R.S.S. est aux yeux des Chinois un pays impérialiste, pratiquant le fascisme à l'intérieur. Elle constitue « le plus périlleux foyer de guerre actuel ». Échange inégal avec les pays en voie de développement, bases militaires à travers le globe, interventions dans les affaires des autres États, Moscou n'a rien à envier à Washington, selon les analyses faites à Pékin.

Le second monde, ce sont les puissances capitalistes qui ne sont pas des superpuissances : Japon, Canada, Europe occidentale. Ce sont de possibles alliés du tiers monde, selon Zhongnanhaï, qui met constam-ment l'Europe en garde contre la grave menace militaire que Moscou fait peser sur elle.

Outre l'hostilité à l'U.R.S.S. qui, rappelons-le, a massé plus d'un million de soldats à sa frontière nord, le point d'application central de la politique étrangère de la Chine est cette alliance de revers avec l'Europe occidentale. Le vieux continent ne répond que très discrètement à cette avance, car il préfère entretenir avec les Russes des rapports dits de « détente », qui, s'ils ne sont pas aussi fructueux commercialement qu'on le dit, ont le mérite (d'ailleurs relatif) d'être politiquement apaisants. L'ennui est qu'ils apaisent l'opinion publique occidentale plus qu'ils ne modèrent l'agressivité soviétique; mais ceci est une autre histoire.

Il y a peu de chance que la diplomatie chinoise évolue dans un proche avenir, quelle que soit l'équipe au pouvoir. La théorie des trois mondes fait intégralement partie de l'héritage maoïste, mais elle découle aussi de facteurs géopolitiques contraignants. La rivalité avec la Russie est plus que séculaire. La détente n'est pas inimaginable, mais la méfiance paraît indéracinable. Le contentieux territorial semble moins lourd qu'on ne dit, mais les conflits doctrinaux, généralement sous-estimés par les commentateurs, peuvent largement alimenter les querelles. Ce dernier facteur mis à part, tous les autres éléments du conflit sino-soviétique existeraient quels que soient le régime politique et l'équipe en place; c'est ce qu'on appelle l'impersonnalité du pouvoir. Il faudrait un grand bouleversement dans les rapports de force mondiaux, ou de très graves erreurs de l'Occident vis-à-vis de la Chine, un refus total d'assistance, un jeu absolument privilégié avec la Russie, pour que les données de base des relations sino-soviétiques évoluent de manière spectaculaire. Ici la continuité a toutes chances de l'emporter.

Le conflit sino-soviétique.

Pourquoi la réconciliation paraît-elle pratiquement inimaginable? Parce que les deux régimes se connaissent trop. On dira que les sociétés soviétique et chinoise diffèrent par de nombreux traits. C'est exact, mais on pourrait soutenir aussi qu'elles se ressemblent par de nombreux autres. Un livre entier ne suffirait pas à épuiser ce sujet.

Bornons-nous à indiquer ici que la révolution chinoise a suivi sa voie propre sans manquer pourtant d'être influencée par les modèles de la IIIe Internationale. En matière d'organisation, en matière d'économie, en matière de propagande, pour ne citer que quelques exemples, Chine et Russie n'ont pas tout à fait perdu leur air de famille. Il pourrait s'accentuer dans l'avenir si la République populaire s'engage dans la voie de la croissance des hiérarchies, des inégalités et de la centralisation.

Même en ce cas, on peut douter qu'elle induise un rapprochement de deux empires. Pourquoi? D'abord parce que la similitude des régimes ne crée pas nécessairement l'affinité politique. On n'en finirait plus de dénombrer les guerres qui ont opposé au cours des siècles des nations ayant des systèmes politiques et sociaux analogues. Ensuite, parce que contrairement à ce qu'affirme sans trêve la foule des commentateurs, l'idéologie n'est pas un voile dérisoire cachant mal les ambitions nationalistes et étatiques, elle est souvent l'aliment majeur des conflits. Et la discorde en la matière n'est pas près de s'éteindre, car elle repose sur la diversité même des conditions nationales,

Croit-on réellement par exemple qu'entre la Chine et l'U.R.S.S. le contentieux territorial pèse plus que le contentieux doctrinal? Il faut tout ignorer du poids de l'idéologie dans l'un et l'autre régime pour le penser. Si les différends territoriaux étaient si cruciaux, la Chine ne se serait jamais rapprochée des États-Unis,

qui entretiennent des bases sur une partie de son sol à
Taïwan. Plutôt que de revendiquer d'obscurs do-
maines frontaliers et de contester des traités, certes
inégaux mais pour certains plusieurs fois séculaires,
elle affirmerait sa souveraineté sur la Mongolie-
Extérieure, aujourd'hui semi-colonie russe et sur
laquelle ses prétentions pourraient paraître historiquement plus fondées.

On dira que l'envoi de troupes sur les îles Paracels,
que le Vietnam affirme lui appartenir, montre que la
République populaire est loin d'être indifférente à ses
possessions territoriales. En effet. Mais tous ces
conflits de souveraineté avec des pays dits socialistes
ont été précédés de différends idéologiques. Aujour-
d'hui, la Chine a réglé son litige avec des pays comme
la Birmanie, dont le régime politico-social est différent, et elle se querelle avec ceux qui se proclament
comme elle marxistes-léninistes. Cela prouve que là
où le problème est purement territorial, il est soluble,
tandis que là où il se greffe sur un affrontement
doctrinal, il ne l'est pas.

Ce n'est pas à cause des traités inégaux du passé
que les relations sino-soviétiques ont peu de chances
de s'améliorer. La raison en est ailleurs. Chine et
U.R.S.S. ont un point commun très important, elles
sont dirigées par des partis communistes. Les modes
de fonctionnement de ces partis diffèrent peu et leur
ressemblance pourrait même grandir, mais ce facteur
complique et envenime les relations. Ce n'est pas la
différence mais la similitude qui sépare la Chine et
l'U.R.S.S.

Les partis communistes sont, en effet, des machines
à produire une idéologie unifiée. C'est pour la
production de cette idéologie qu'ils fonctionnent et

par elle qu'ils conditionnent leurs militants, dirigent, gouvernent. Il n'y a pas d'exception à cela. Des tendances diverses, voire antagoniques, existent au sein de beaucoup de partis communistes, mais le pluralisme n'est jamais reconnu, encore moins institutionnalisé, il est par principe banni. Nous ne discuterons pas ici des origines historiques de cette situation, de sa nocivité ou de sa durabilité : nous enregistrons le fait. La production permanente d'une doctrine unifiée universellement valable et ayant vocation à être mise en pratique par tout un chacun[8] porte au rejet permanent de l'hétérogène. Ce qui ne peut être unifié immédiatement le sera plus tard. Aussi les partis communistes rejettent-ils les « déviants » apparus en leur sein mais également les partis « frères », dès lors qu'ils ne produisent pas la même idéologie qu'eux. Cet univers ne supporte ni le pluralisme interne, ni, si l'on peut dire, *le pluralisme externe.*

Dans le mouvement communiste, l'Internationale fut longtemps un centre unificateur. Plus tard, le P.C. soviétique a joué le rôle de parti-guide. Mais dès lors que cette situation a pris fin, sous la pression des diversités nationales et de la considérable extension du communisme lui-même, les tendances centrifuges sont devenues très fortes. Vu la rigidité doctrinale des partis, entretenue par leur structure centralisée même, ce mouvement ne peut que croître. Les partis communistes ne peuvent entretenir entre eux que des rapports d'intégration — c'était le cas du temps de

8. Ainsi le chef de la Corée du Nord, Kim Il-sung, achète à grands frais des pages de journaux occidentaux pour y propager les résolutions de son parti. Il s'imagine que sa politique a une portée universelle. Ce faisant, il pense sans doute qu'il combat le capitalisme avec ses propres armes.

l'Internationale —, de soumission — c'est le cas de nombre de partis qui dépendent encore des Russes à des titres divers (par la simple force de l'habitude parfois) —, ou d'hostilité. Ce dernier cas devient de plus en plus fréquent, tandis que les relations égales entre partis divergents sont devenues une rareté en ces temps de crispations doctrinales et d'aigreurs chauvines. A l'inconvénient de la raréfaction se conjuguent d'ailleurs ceux de la fragilité, de la précarité, de la fugacité. Quoi de plus éphémère que l'amitié entre communistes, si souvent qualifiée d'éternelle et d'indestructible dans les communiqués! C'est que la différence, le désaccord, même limité, sont intolérables dans un univers et un système de pensée clos, qui tendent à l'uniformité absolue.

L'Internationale est morte, et il est peu probable que les Chinois acceptent un jour le rôle de subalternes des Russes, le seul que ces derniers aient jamais réservé à leurs alliés. Il ne leur reste qu'à s'exclure mutuellement à perpétuité. Les Chinois disent d'ailleurs que leur conflit idéologique avec les Russes durera dix mille ans, équivalent asiatique de « dans les siècles des siècles ».

Même ennemis, des frères ont des traits communs. Si la société chinoise en venait à ressembler davantage à la société russe, ceci n'empêcherait pas, au contraire, les deux pays de se défier l'un de l'autre. Les commentateurs de la vie internationale s'étonnent de l'antisoviétisme des Chinois, de leur suspicion absolue, qu'ils qualifient d'obsessionnelle. Ils devraient plutôt saluer leur lucidité, qui contraste fort avec la jobardise occidentale. A Pékin, on ne se fait aucune illusion sur la possibilité de faire évoluer la société russe grâce au commerce international; ce n'est pas en Chine, en 1978, qu'on irait écrire que « le fait que l'U.R.S.S. se dote de moyens militaires considérables ne signifie pas qu'elle ait l'intention de s'en servir [9] ». Dirigeants chinois et soviétiques savent à quoi s'en tenir les uns sur les autres. Ils ont la même mentalité, le même cynisme, le même art de faire passer le vrai pour le faux et réciproquement. Ils utilisent le même langage, ils se connaissent.

Des causes identiques produisent le conflit khméro-vietnamien, le conflit sino-albanais, le conflit sino-vietnamien, et bien d'autres à venir. Le fait d'être semblables dans la diversité éloigne ces partis-États les uns des autres. Quand deux partis communistes se regardent au fond des yeux, tout va bien s'ils aperçoivent leur propre image, comme en un miroir, sinon ils voient la subversive, la scandaleuse altérité. La pensée communiste ne conçoit que le linéaire, l'identique ; la différence est pour elle un accident provisoire, une contrariété temporaire ou, selon le mot très éclairant de Mao Tsé-toung, une contradiction. La similitude dans la différence ne peut se résoudre que par une similitude sans différence, par l'alignement d'un parti sur un autre, par sa soumission ; c'est là une source de conflits infinis.

Le rapprochement avec le Japon, la signature d'un traité de paix et d'amitié entre les deux pays montrent également qu'il est décidément plus facile de s'entendre avec le monde capitaliste. En arrivant à Tokyo le 22 octobre dernier et en repartant après avoir mené à bien cette négociation, M. Teng a écrit une grande page dans les annales de la diplomatie. Cet événement

9. Dans *l'Unité,* hebdomadaire du parti socialiste, sous la plume d'un spécialiste de ces questions.

est peut-être le plus important de l'après-guerre. Beaucoup de choses ont déjà été dites sur cette alliance qui
ouvre aux hommes d'affaires nippons d'immenses
perspectives et à la République populaire une chance
d'effectuer plus vite sa modernisation. L'essentiel est
ailleurs : cette alliance est et sera antisoviétique, elle
permet dans l'immédiat d'équilibrer les rapports de
force mondiaux et notamment entre l'U.R.S.S. et la
Chine. Ceci rend moins probable un conflit militaire
et c'est positif; mais, à moyen ou à long terme,
cette alliance crée un nouvel empire et substituera au
jeu bipolaire actuel un jeu tripolaire. Cette nouvelle
superpuissance, pour la première fois dans l'histoire
contemporaine, ne sera pas blanche, et elle a théori-
quement les moyens d'égaler, voire de surpasser la
Russie et l'Amérique. Comment ne pas craindre la
concurrence de ces mastodontes, dont la volonté de
puissance s'affirme déjà clairement? [9 bis]

Pour conclure cet examen de la politique étrangère
chinoise, il faut noter qu'elle a évolué sur un point :
l'importation de technologie étrangère. Alors que
depuis dix ans le principe affirmé de « compter sur ses
propres forces » paraissait s'entendre en termes d'au-
tarcie tendancielle, son application n'exclut plus
désormais le recours aux compétences étrangères et
les échanges accrus. Selon des rumeurs diverses, la
Chine pourrait même solliciter des prêts à long terme

[9 bis]. La reconnaissance de la Chine par les États-Unis est un
grand événement. Elle consolide la position internationale de la
République populaire face aux Russes. Pour ceux-ci, l'Asie est
désormais un continent hostile. Seule exception, le Vietnam que
sa malencontreuse alliance avec Moscou place en position d'encerclement.

auprès d'organismes internationaux, ce qui serait absolument sans précédent. L'accord officiellement donné depuis novembre à la participation de capitaux étrangers dans des sociétés d'économie mixte et la prise en considération du système des prêts inter-gouvernementaux marque une évolution décisive. Il y a quelques années, de tels projets eussent invariable-ment attiré l'accusation de « trahison nationale » et de « capitulation ».

L'armée.

Une armée forte est l'attribut indispensable de l'indépendance nationale. C'est encore plus vrai dans le cas de la Chine, compte tenu de la menace soviétique et de l'agitation qu'entretient à sa frontière sud le conflit khméro-vietnamien. Or, les affaires militaires sont un domaine où la querelle des Anciens et des Modernes est fort vive.

La doctrine militaire de Mao Tsé-toung est très élaborée et on ne peut ici que l'évoquer sommaire-ment. Fondée sur la guerre de partisans, elle préco-nise l'utilisation des points faibles d'une armée adverse nombreuse et bien entraînée pour permettre à une troupe moins bien équipée, moins importante, mais soutenue par la population et dotée d'un moral et d'une conscience politique élevés, de triompher. Ces phrases pourraient résumer la théorie maoïste de la guerre : « Le matériel est un facteur important mais non décisif de la guerre. Le facteur décisif c'est l'homme. » Cette conception, dont l'originalité est au fond qu'elle affirme le primat du politique sur le militaire, a été forgée pendant les années de maquis et a prouvé son efficacité contre les troupes de Tchang Kaï-chek. Elle fut contestée après 1949 par une partie des officiers, qui l'estimaient caduque dans le contexte de l'après-guerre. Les commentateurs de la vie politique chinoise présentent souvent ces hommes comme désireux de « professionnaliser » l'armée, c'est-à-dire de lui donner le caractère d'une troupe régulière, dotée d'un armement avancé et utilisant toutes les ressources de la technique moderne.

Le plus connu d'entre eux, Peng Teh-huaï, fut destitué en 1959. Peng avait commandé les troupes chinoises en Corée et sans doute avait-il éprouvé là l'insuffisance de certaines conceptions tactiques de la guerre de partisans. Son remplacement par Lin Piao mit fin pour de longues années aux espoirs des « professionnels », encore qu'ils aient continué à s'exprimer et, occasionnellement, à imposer des compromis. Le développement d'un armement nucléaire, et l'adhésion à la doctrine de la dissuasion qu'il implique, ne se rattachent par exemple que très imparfaitement aux thèses maoïstes classiques.

La chute de Lin Piao et la réhabilitation de maints officiers auparavant critiqués créa les conditions d'un retour en force des thèses « professionnelles ». Dès 1972, le maréchal Yeh Kien-ying réduisait l'étendue des études politiques et du travail idéologique dans les unités, faisait rentrer les soldats dans les casernes et accroissait l'entraînement militaire, quelque peu négligé sous le règne du dauphin.

Les « quatre modernisations » incluant la défense nationale, 1978 a vu naître et s'amplifier de grands débats sur le rôle et l'évolution des forces armées. Chose inhabituelle, la presse officielle s'en est fait l'écho, et une Conférence nationale tenue à Pékin du 27 avril au 6 juin a fait apparaître que l'orientation du travail politique dans la troupe cristallisait les oppositions.

Lorsqu'on parle d'une tendance favorable à la professionnalisation de l'armée, il faut s'entendre. Personne ne préconise ouvertement de supprimer l'étude politique et l'endoctrinement des soldats, ni de remettre en question le principe de la direction du parti et le rôle des commissaires politiques dans les unités. Les officiers dont la sensibilité est plus « professionnelle » demandent par contre que le rapport soit bien établi entre ce qui est politique et ce qui est militaire. Pour eux, c'est une erreur gauchiste typique que de remplacer le second terme par le premier. C'est ce qui a caractérisé à leurs yeux le « linpiaoïsme », et ils entendent que cette « déviation » soit définitivement corrigée.

Ces officiers semblent largement donner le ton aujourd'hui et leurs exigences embarrassent le gouvernement. Selon eux, en effet, il ne sert à rien de s'acharner contre les « quatre », qui n'ont eu qu'une influence réduite sur l'armée ; ce qu'il faut, c'est lancer une campagne approfondie de réfutation de Lin Piao. Les thèses militaires du maréchal ont orienté le travail de l'A.P.L. pendant douze ans et ils veulent revoir le dossier. Teng Siao-ping s'est empressé de se faire le porte-parole de ce mouvement.

Horreur des traditionalistes ! A leurs yeux, l'affaire Lin Piao est classée. Le maréchal félon était un comploteur isolé ayant très peu de partisans. Critiquer à fond sa politique dans l'armée, alors qu'elle était très proche de celle de Mao qui l'avait placé lui-même à la tête du ministère de la Défense, ce serait mettre en danger l'héritage présidentiel. Rouvrir le dossier Lin Piao, ce serait ouvrir les vannes de la démaoïsation.

Ces conflits sont très aigus et la Conférence nationale sur le travail politique dans l'armée, au printemps dernier, l'a bien montré. Hua Kouo-feng, dont la sympathie pour les traditionalistes est plus que probable, s'efforce néanmoins de se tenir au-dessus de la mêlée. Il multiplie les affirmations de principe et les généralités susceptibles de rallier les suffrages de tous. Le 29 mai 1977, le président prononça un discours évoquant tout naturellement « l'excellente tradition du travail politique dans l'armée ». Il définissait les tâches de la manière synthétique et contradictoire dont il est coutumier, en faisant grand usage de la conjonction de coordination « et » : « Consolider l'armée en axant le travail sur la lutte de classes *et* se préparer en prévision d'une guerre », « assurer la transformation révolutionnaire *et* la modernisation », « associer des hommes ayant un haut niveau de conscience socialiste *et* un armement moderne [10]. » Hua Kouo-feng s'exprimait comme il aime à le faire, en continuateur ; ses propos étaient émaillés de références classiques et de slogans orthodoxes, balancés d'une dose raisonnable de modernisme.

L'octogénaire Yeh Kien-ying, président de la Commission militaire du Comité central, lui succéda. Son discours apparut comme l'amalgame de ce qui venait d'être dit et des thèses novatrices, dont l'exposé allait être confié à Teng. « Comment, dans les nouvelles conditions historiques, continuer la tradition? », dit-il. On ne pouvait être plus synthétique et plus... ennuyeux.

10. *Pékin information*, n° 24, 19 juin 1978.

La vedette de la Conférence fut Teng Siao-ping. Les assises duraient depuis six semaines lorsqu'il prit la parole le 2 juin. Il était le dernier et en ce sens le plus important des orateurs. Ses propos firent entendre un son neuf car il exprimait tout haut un point de vue longtemps tenu pour répréhensible mais que désormais il « officialisait ». L'armée affronte des conditions nouvelles et il faut les résoudre de manière nouvelle, telle en était l'idée essentielle. Teng prit résolument la tête du courant moderniste et il commença par railler la manie de la citation qui affecte ses adversaires orthodoxes. « Nous avons, dit-il, des camarades qui, bien qu'ayant tous les jours la pensée de Mao Tsé-toung à la bouche, ne font qu'oublier, combattre et rejeter cette conception. » Lui ne s'embarrassa pas du catéchisme de rigueur et écarta tous les stéréotypes. Après une dernière moquerie : « Il y en a qui estiment que tout ce qui est imprimé est juste », il plongea au cœur du sujet et reprit à son compte la revendication centrale des professionnels : « Lin Piao a gravement intoxiqué l'armée, mais il n'a pas été critiqué comme il le fallait [11], les quatre ont servi de paravent [12]. » Il proposa donc d'orienter le travail politique en profondeur dans le sens de la critique du maréchal, le plus propre à favoriser l'emprise des modernistes [13]

11. Voir chapitre III, p. 86.
12. *Pékin information*, n° 25, 26 juin 1978.
13. On doit remarquer le paradoxe de ce régime où les novateurs se recrutent parmi les vétérans du parti, tandis que l'héritage maoïste est souvent défendu par des cadres plus jeunes qui lui doivent leur promotion. Notons également que le « modernisme » de Teng paraît consister en un retour à la période d'avant 1956. Mais la Révolution culturelle n'était-elle pas elle aussi une

sur l'armée, et termina par une péroraison : « Nier
les conditions nouvelles, s'écria-t-il, c'est bloquer le
cours de l'histoire, pratiquer la métaphysique, aller
à l'encontre de la dialectique. » Au total, il employa
le mot nouveau, *hsin,* plus de soixante fois...

Teng veut le déclenchement d'une deuxième campagne d'assainissement. Hua Kouo-feng et les gardiens de la tradition souhaitent, eux, mettre fin à la
répression. L'opposition est totale.

La répression.

L'écrasement des « quatre » et de leurs partisans est
une tâche éminemment politique, menée avec fermeté
et effusion de sang. Or qui fusille, qui a la charge
d'exécuter ? Les autorités militaires locales. A diverses
reprises, la presse a dû rappeler que le travail de
démantèlement du « réseau fractionnel des quatre »
doit se faire sous la direction unique des comités du
parti, c'est-à-dire des autorités civiles. Cela veut-il
dire que dans ce domaine certains officiers ont
tendance à en prendre à leur aise ? Une chose est
claire : Hua ne s'est engagé qu'à contrecœur dans la
répression et, dès le début de 1978, il a mis les freins.
Un thème déjà fréquent dans *le Quotidien du peuple* a
marqué ses interventions durant la session de l'Assemblée nationale, en février et en mai 1978, durant la
Conférence sur l'armée : « Le réseau fractionnel
bourgeois des quatre est démantelé, les rangs de classe

_____

révolution conservatrice, dans son désir de renouer avec l'esprit de
Yenan et la guerre antijaponaise ? Tout se passe comme si chaque
tendance avait son âge d'or dans tel ou tel épisode de l'histoire du
parti et aspirait à y retourner.

sont clarifiés [14]. » Autrement dit, la répression n'a plus de raison d'être.

Dans un rapport sur les activités du gouvernement prononcé le 26 février 1978, le président s'était longuement étendu sur le sujet. Il avait concédé qu'un petit nombre de régions et d'unités de travail n'avaient pas terminé les enquêtes et que la purge n'y avait pas été administrée avec toute la fermeté désirée, mais il avait minimisé la chose car, selon lui, « à considérer l'ensemble du pays », ces enquêtes avaient été pratiquement achevées avec succès. Il en profitait pour rappeler les règles maoïstes qui s'imposent en la matière : distinguer les contradictions au sein du peuple, non antagoniques, des contradictions antagoniques avec l'ennemi ; sévérité envers le récalcitrant, clémence envers celui qui s'amende ; éduquer le plus grand nombre et réduire la cible de l'attaque. Allant plus loin encore, le nouveau président déclarait que « pour les éléments d'ossature [cadres du réseau fractionnel] de la bande des quatre, la clémence peut s'appliquer à ceux qui se sont bien démarqués des quatre, ont clairement exposé les méfaits commis et manifesté le désir de s'amender ».

Hua Kouo-feng reprit tous ces thèmes le 29 mai à la Conférence sur le travail politique dans l'armée dont nous avons parlé : « La lutte entre le prolétariat et la bourgeoisie prend parfois la forme de contradictions avec l'ennemi », admit-il, pour ajouter aussitôt que, dans la plupart des cas, il s'agit de contradictions au sein du peuple : « Même s'il s'agit de contradictions relevant de la lutte entre les deux classes, les

14. *Pékin information,* n° 9, 6 mars 1978, et n° 10, 13 mars 1978. En jargon politique chinois, quand les rangs de classe sont « clarifiés » c'est que l'épuration a porté ses fruits.

deux voies, nous ne pouvons que les résoudre par des méthodes démocratiques. »

Teng s'opposa à cet esprit de relative clémence dans son discours du 2 juin, dont la tonalité était toute différente : « Nous devons approfondir cette lutte et la poursuivre jusqu'au bout ; en aucun cas, on ne doit accepter qu'elle soit étouffée », s'écria-t-il. Il laissait entendre que des gens douteux conservaient des postes de responsabilité dans le corps des officiers et il appelait à « restructurer les équipes dirigeantes » : « La remise en ordre implique une stricte vérification des cadres. » Critiquer les « quatre », répéta-t-il, est insuffisant.

C'est là ce qui inquiète les traditionalistes. Teng joue avec le fantôme de Lin Piao. Il veut extirper l'influence du dauphin dans l'armée. Or, celle-ci s'est exercée à partir de 1959, date à laquelle il a occupé le ministère de la Défense. Retourner à vingt ans de distance, cela n'a évidemment plus rien à voir avec la lutte contre le quarteron, dont la montée politique date de 1972. Cela équivaut à remettre en cause la politique suivie depuis la chute de Peng Teh-huaï lui-même. C'est renouer avec les tendances à la professionnalisation plus ou moins mises entre parenthèses ensuite, peut-être même — sait-on jamais avec Teng — réhabiliter Peng Teh-huaï lui-même [15]. C'est la perspective d'un regain de l'épuration qui ne devrait plus se limiter à quelques officiers compromis avec la camarilla gauchiste au cours des trois ans écoulés. Il

---

15. *Le Quotidien du peuple* du 16 novembre 1978 a clairement fait allusion depuis à la destitution de Peng, qu'il a présentée comme erronée. Ce même numéro critiquait Mao sans le nommer en le désignant comme « un certain dirigeant suprême ». Diverses affiches parues sur les murs de Pékin ont depuis ouvertement dénoncé les « erreurs » de Mao. Fin décembre 1978 Peng était réhabilité.

s'agirait de remonter le temps pour mordre sur toute une génération de cadres militaires venus aux responsabilités sous Lin Piao. N'est-ce pas vouloir régler de bien vieux comptes, remettre en cause la Révolution culturelle et affaiblir l'unité de l'armée? « C'est faux, répond Teng, cette critique renforcera au contraire l'unité car Lin Piao a gravement perturbé l'A.P.L. [...] Nous devons démanteler le système fractionnel (*jixi*) des quatre. » Il a évité d'utiliser le mot de réseau, usant d'un terme plus vague et suggérant qu'au-delà d'une organisation, c'est tout un esprit, tout un mode de fonctionnement et de travail qu'il s'agit de remettre en question. On ne pouvait être plus franc, encore que la rédaction du discours ait laissé planer quelque incertitude sur l'étendue de la campagne envisagée. Teng était censé parler de l'armée et du travail politique en son sein, mais certaines phrases déplorant la mollesse de l'épuration paraissent pouvoir s'appliquer au reste de la société et, dans l'assistance, les bons entendeurs soucieux de salut ne manquaient pas.

Hua Kouo-feng ne pouvait pas ne pas réagir et il le fit de manière caractéristique en publiant le 1er juillet 1978, jour anniversaire de la fondation du parti communiste, un nouveau discours inédit de Mao [16]. Pourquoi cette publication? On touche là à un trait caractéristique de cette vie politique chinoise, qui cultive le style indirect. La diffusion officielle et solennelle de ce texte ancien — il date du 30 janvier 1962 — est destinée à révéler l'hétérodoxie des propos de Teng. En se faisant le champion d'une épuration plus rigoureuse, ce dernier suscite de l'inquiétude

16. Beaucoup le connaissaient déjà, car des Gardes rouges en avaient publié de substantiels extraits durant la Révolution culturelle.

dans la population et parmi les cadres qui aspirent au calme. Or, le thème central du discours est la démocratie dans le parti. Il a été choisi pour sa tonalité nettement antirépressive car son auteur y insiste, plus que dans tout autre texte, sur la nécessité pour les cadres de se rapprocher des masses et de laisser le peuple s'exprimer. Il consacre aussi d'importants passages aux arrestations et aux exécutions pour recommander la modération. Il invoque une justification typiquement fondée sur l'opportunité politique : des exécutions nombreuses nuiraient à l'atmosphère politique et au prestige du pays.

Sa parution *in extenso* dans *le Quotidien du peuple* s'accompagnait d'un éditorial soulignant la nécessité d'unir le plus grand nombre de gens possible, thème cher à Hua Kouo-feng [17]. « Les masses populaires ont échappé à l'ambiance étouffante et à la tyrannie des quatre, affirmait le journal, et elles ont créé une atmosphère politique faite de dynamisme et d'entrain. » Sous-entendu évident : ce n'est pas le moment de relancer la chasse aux sorcières. La démarche de Hua est habile. Il s'abrite derrière le prestige du grand disparu, il consolide son image de marque et se fait le protecteur de la tranquillité du peuple. Il disqualifie Teng et les siens en les faisant apparaître, *a contrario*, comme des tyranneaux ivres de sang et de répression. Mais la partie n'est pas jouée [18].

17. *Pékin information*, n° 2, 10 juillet 1978.
18. Dès l'automne, la destitution du maire Wu Teh, la condamnation pénale des anciens chefs de la Garde rouge et la parution d'articles critiquant la Révolution culturelle, ainsi que l'apparition d'affiches critiquant nommément Hua Kouo-feng, Wang Tong-sing et le président disparu ont montré que ces subtiles manœuvres avaient échoué et que le clan de Teng avait le vent en poupe.

ANNEXE DU CHAPITRE VI

A. *Le conflit sino-albanais.*

Ce texte est extrait du long exposé que le ministre des Affaires étrangères Houang Hua fit en juillet 1977 devant de hauts fonctionnaires du parti et du gouvernement.

Si l'Albanie a fréquemment exposé son point de vue publiquement ces dernières années, la Chine est restée discrète. Les propos du ministre ont donc l'intérêt de l'inédit. On notera que Houang Hua fait remonter les divergences sino-albanaises à la période où Kissinger vint en Chine. On relèvera aussi l'extraordinaire susceptibilité qui semble marquer les rapports des deux partis « frères », l'un reprochant à l'autre de ne pas l'informer suffisamment, l'autre invoquant sa « souveraineté nationale ».

« [En adoptant cette série de mesures] l'Albanie, oubliant les enseignements théoriques, n'a pas su résoudre les divergences au sein du parti en menant une lutte idéologique vigoureuse afin de comprendre les problèmes dans leur essence pour aboutir à une nouvelle unité fondée sur le marxisme-léninisme. Au contraire, ou bien les Albanais faisaient obstacle à la lutte en adoptant une attitude négative et désinvolte, ou bien ils transformaient des contradictions non antagoniques en contradictions antagoniques, en discréditant de remarquables communistes et en causant ainsi un tort considérable. Ceci est illustré par le discours de Enver Hodja à la réunion du Bureau politique du parti du Travail, que nous avons fait reproduire et distribuer dans certaines sections pour l'étudier. On y voit clairement que les problèmes de Beqir Balluku (ministre de la Défense), d'Abdyl Kellezi (vice-président du Conseil des ministres, et président de l'Association d'amitié Albanie-Chine) ont été traités de façon à élargir les contradictions, qu'il s'agit de divergences idéologiques dont on a fait une " contradiction avec l'ennemi ". Nous avons également étudié les documents concernant Petrit Dume (chef d'état-major), Xhafer Spahui (vice-président du Conseil des ministres) et Hadji Lleshi (président du présidium de l'Assemblée du peuple). Voilà notre position sur la question :

1) Nous respectons la souveraineté albanaise et nous n'intervenons pas dans ses affaires intérieures.

2) Dans l'intérêt du mouvement communiste internatio-nal et afin de préserver l'amitié entre le P.C.C. et le P.T.A., nous devons leur exposer nos vues. Que les Albanais les acceptent ou non, c'est une autre affaire. Nous exposerons notre façon de voir à propos de Hadji Lleshi même si cela nuit à l'amitié sino-albanaise. [...] Les divergences entre la Chine et l'Albanie portent actuellement sur la division en trois mondes et la nécessité de s'unir au tiers monde. [...] Mais elles ont des racines anciennes. La période d'incuba-tion remonte à la fin de 1971 et au début de 1972, lorsque Henry Kissinger vint pour la première fois à Pékin et s'entretint avec le Premier ministre Chou En-laï. Avant et après l'invitation du président Nixon, nous avons tenu le gouvernement albanais informé de notre décision et nous lui avons exposé notre point de vue à ce sujet. Après que Nixon fut venu, nous avons informé les Albanais, par l'intermédiaire de l'ambassadeur Behar Shtylla, de l'état des conversations. L'Albanie fit savoir qu'elle comprenait la position de la Chine et qu'elle aimerait voir la

contribution que la Chine apporterait à la révolution mondiale une fois admise à l'O.N.U. [...] Nous avons adopté la même attitude à l'égard des partis frères indochinois. [...] Le parti du Travail nous a accusés de capituler et d'oublier les principes. En 1977, Behar Shtylla nous a fait part du point de vue de son pays : « Vous ne nous avez pas consultés en matière de politique étrangère, dit-il, même les communistes birmans qui ne sont pas au pouvoir ont été informés de certaines de vos démarches. Pourquoi pas l'Albanie? »

Pourquoi Behar Shtylla ne nous a-t-il pas informés de la publication d'un certain article de *Zeri i Populit*[1]? Au contraire, l'Albanie a lancé contre nous une attaque à la Khrouchtchev. En outre, chaque nation est souveraine. Grande ou petite, elle ne peut intervenir dans les affaires des autres. Idem pour les partis frères. [...] N'avons-nous pas informé le P.T.A. de la campagne contre la clique Lin-Tchen [*Lin Piao-Tchen Po-ta J. D.*] et contre la bande des quatre avant que le monde extérieur n'en soit informé? Fallait-il décider avec le P.T.A. de l'heure à laquelle nous devions les arrêter le 6 octobre? »

B. *Houang Hua parle de l'armée et de son équipement.*

Dans cet autre extrait du même exposé, le ministre fait porter aux « quatre » la responsabilité du mauvais armement des troupes. Il faut signaler cependant que ceux-ci n'avaient pas de hautes fonctions à l'époque des incidents sur l'Oussouri, en 1969. L'armée était dirigée par Lin Piao et c'est lui qu'il faudrait incriminer. Houang Hua craignait peut-être de paraître trop proche de Teng Siao-ping en le faisant.

1. Allusion probable à un article de l'organe central du P.T.A. intitulé « La théorie et la pratique de la révolution » (7 juillet 1977), qui critiquait, sans les nommer, les Chinois.

« Avec quoi mener les batailles? Nous ne pouvons pas utiliser le pinceau avec lequel nous écrivons nos journaux muraux, ni les faux, ni les pelles contre les tanks de l'ennemi. L'homme est un facteur important de la guerre, l'armement aussi. Nous avons souffert de cela ces dernières années. L'ennemi ne jettera pas ses armes pour se battre contre nous à mains nues. Avant la bataille pour l'île de Chenpao [*en 1969, lors des incidents de frontière; l'île est appelée Damanski par les Russes, J. D.*], nous avons cherché à résoudre le problème sans recourir aux armes, finalement il a fallu se battre tout de même. Au fait, savez-vous, camarades, le mal que la bande des quatre a causé à notre industrie d'armement? Les canons des nouvelles mitraillettes que les soldats de l'A.P.L. portaient sur l'île de Chenpao devenaient rouge vif après quelques tirs de cartouches. Parfois les cartouches n'entraient pas dans les chargeurs. Certaines pièces d'artillerie ont explosé. Des soldats mal entraînés ne savaient pas se servir du matériel et ont péri sous les roues des tanks. Nombre de soldats ont sacrifié leur vie. La neige était rouge de sang. Bien sûr, à la guerre, il y a des sacrifices, mais pourquoi ne pas les éviter si c'est possible? Sun Yu-kouo est un sale type [*officier commandant localement, probablement linpiaoïste, J. D.*], beaucoup de gens ont péri sous son commandement, donc il doit payer l'addition, comme Lin Piao. Il a lancé le mot d'ordre " pas de héros sans sacrifice ", ce qui revenait à dire qu'il était bon de sacrifier des gens. Pourquoi ne s'est-il pas sacrifié, lui? Par la suite, le camarade Wang Chang-yong et d'autres officiers ont changé de tactique et deux divisions bien entraînées ont été dépêchées sur place. Les troupes soviétiques ont finalement été chassées de notre territoire. »

(Source : *Issues and Studies* vol. XV, n° 1, janvier 1978.)

C. *Un poème hostile au président Hua Kouo-feng.*

Selon l'agence japonaise Kyodo, plusieurs copies d'un poème attaquant le président du parti ont été distribuées dans un établissement d'enseignement de langues étrangères de Pékin[2]. Le lieu est important, car il y a dans ce type d'instituts des étudiants et des professeurs étrangers, ce qui favorise la diffusion de ces textes à l'extérieur du pays. Remarquons aussi que certaines affiches embarrassantes pour le président sont parfois collées devant les hôtels de la capitale où résident des touristes et des correspondants de presse. On n'est pas plus aimable...

L'importance du poème tient à ce que, pour la première fois, l'attaque était directe et quasi nominale[3]. Le titre serait, selon l'agence, « Ode à une fleur et à une feuille ». Or Hua signifie fleur et Yeh, patronyme du vice-président Yeh Kien-ying, signifie feuille. Selon l'agence, il y était dit que ni les fleurs ni les feuilles ne vivent très longtemps. « Quand il fait chaud, la végétation fleurit et les feuilles poussent, quand vient le froid, les fleurs fanent et les feuilles tombent. Jamais les moineaux ne pourront rivaliser avec un phénix. »

Pour comprendre ce dernier vers, il faut le rapprocher de la mythologie maoïste qui imprègne la vie politique chinoise. Dans un poème de Mao Tsé-toung publié officiellement en janvier 1976 et intitulé « Dialogues d'oiseaux », le moineau était le symbole péjoratif du révisionnisme, le phénix celui de la révolution. Le phénix est en fait probablement le « rock » des contes orientaux, un oiseau géant qui se dit *peng* en chinois.

---

2. Distribution clandestine, aux alentours de la mi-juillet 1978.

3. En novembre 1978, des affiches placardées dans les rues de Pékin ont attaqué nommément Hua Kouo-feng, lui reprochant d'avoir bénéficié d'une promotion illégitime en avril 1976 à la faveur des événements de Tien-an-Men.

CHAPITRE VII

LE CADAVRE DANS LE PLACARD :
LIN PIAO

Le 6 avril 1978 marquait le deuxième anniversaire des manifestations favorables à Chou En-laï, que les miliciens de la capitale armés de gourdins avaient noyées dans le sang. Diverses gerbes furent déposées ce jour-là sur la place Tien-an-Men, au pied de la stèle dressée aux « héros du peuple ». L'une d'elles portait cette phrase peinte sur un ruban : « Il faut complètement clarifier ce qui touche à Lin Piao, à Tchen Po-ta, à Kang Sheng [1] et à la bande des quatre. »

Nous avons déjà indiqué que les affichages et les proclamations qui se succèdent au centre de Pékin ont souvent pour but d'embarrasser le nouveau président : cette phrase, il l'a sans aucun doute reçue comme une provocation. Nul doute également qu'il n'y ait vu un nouveau fruit de l'opposition de Teng Siao-ping, qui encourage, voire suscite de tels gestes.

1. Kang Sheng est mort le 16 décembre 1975. Il ne jouait plus de rôle important depuis 1971, en raison d'une grave maladie. Conseiller du groupe chargé de la Révolution culturelle de 1966 à 1969, il fut un des chefs de ce mouvement. Il était à la tête des services secrets du régime. Il faut constater que jamais son action ne fut critiquée à l'époque, officiellement ou officieusement. Sa mise

Reste à savoir pourquoi le spectre de Lin Piao hante Tien-an-Men.

Nous n'avons pas la possibilité de faire toute la lumière sur l'affaire, mais nous allons montrer qu'elle risque fort de devenir entre Hua et Teng une très amère pomme de discorde. Pour cela, il nous faudra rappeler quelques événements anciens mais indispensables à connaître pour saisir les points de divergence actuels et peut-être pour éclairer l'avenir proche. Hua Kouo-feng a recueilli un héritage délicat, et le fait de ne pas être parvenu à enterrer le dauphin-conspirateur, sept ans après sa mort, n'est assurément pas le moindre de ses problèmes. Les circonstances mêmes de cette disparition permettent de le comprendre.

La mort de Lin.

Lin Piao serait mort le 13 septembre 1971 dans l'accident d'un Trident qui s'écrasa sur le territoire de la Mongolie-Extérieure. Ceci ne fut confirmé officiellement qu'en juillet 1972. On accusa alors le maréchal de trahison et de tentative de coup d'État : il aurait en effet péri en s'enfuyant vers l'U.R.S.S. Cela fit l'effet d'une bombe car, jusque-là, tout le monde tenait Lin pour le successeur de Mao et son plus fidèle disciple et partisan[2].

---

en cause aujourd'hui pourrait indiquer que les auteurs de la phrase citée ont des mentors haut placés; seuls des gens ayant accès à des documents confidentiels pourraient mettre Kang Sheng en accusation.

2. Dans le courant de 1971 déjà, divers signes avaient indiqué que la position du dauphin se dégradait, notamment le remaniement de la commission militaire et de la région militaire de Pékin,

Un document célèbre, le plan 571, révélé d'abord par Taïwan (l'authenticité en fut ensuite confirmée sur le continent), constitue la pièce à conviction centrale du dossier d'accusation. Le fils du disparu, Lin Li-kouo, y dressait le plan d'une conspiration destinée à renverser Mao (B 52 en code) et à prendre le pouvoir. Ce long texte, les détails du complot qu'il fournit et le récit de la mort de Lin Piao que les autorités chinoises livrèrent au public n'ont jamais dissipé les doutes ni l'impression d'invraisemblance qui pèsent sur ce rocambolesque épisode. Tout indique aujourd'hui qu'aux yeux de nombreux Chinois, certaines interrogations demeurent parfaitement légitimes.

Le 7 octobre 1972, Chou En-laï fit un exposé circonstancié de l'affaire devant une délégation de journalistes américains en visite. Le *New York Times* le reprit dans son édition du 12 octobre, lui donnant une portée internationale. Rappelons l'essentiel des « faits ».

Le 12 septembre 1971, Lin Piao aurait projeté de faire sauter le train qui ramenait Mao de Changhaï à Pékin. Ce dessein, précisa le Premier ministre, ne fut pas mis à exécution, sans que l'on sache pourquoi. Le soir même, son plan découvert, ses complices arrêtés sur la dénonciation de sa fille Lin Tou-tou, le maréchal prit la fuite. Quittant la station balnéaire de Peitahe où il se trouvait, il monta dans un appareil et s'envola vers l'U.R.S.S. Chou En-laï donna des

---

d'où l'on avait chassé ses partisans, et surtout l'ouverture d'une campagne de critique quasi officielle de Tchen Po-ta, un de ses alliés, dont le nom, comme le sien, était indissociable du déclenchement de la Révolution culturelle.

précisions tendant à prouver que l'entreprise de Lin était celle d'un homme aux abois, désespéré par son échec et réduit aux dernières extrémités. Quand il s'embarqua, dit-il, il n'y avait pas d'échelle de coupée et il dut se faire hisser dans l'avion par un acolyte. Le Trident s'écrasa en Mongolie car les conjurés n'avaient pas eu le temps de faire le plein et n'avaient même pas d'opérateur radio. Lin était si isolé qu'il n'avait pu trouver qu'un pilote inexpérimenté pour le conduire. Les représentants de l'ambassade de Chine en Mongolie se rendirent les premiers, avant les Soviétiques, sur les lieux de l'accident à Udhur Khan, et purent photographier les débris de l'avion et les restes des corps. Telle est, ramenée à ses points essentiels, la version officielle du décès de Lin Piao.

Précisons que les révélations de Chou En-laï prenaient place dans un contexte international très mouvant.

En 1972, la politique chinoise était en pleine évolution. La République populaire s'ouvrait sur l'extérieur et elle voulait se rapprocher des pays occidentaux. Le désir de ne pas contrarier cette entreprise, le souci de ne pas embarrasser Chou En-laï qui en était l'artisan, expliquent sans doute que la presse américaine et à sa suite la presse mondiale aient enregistré sans broncher cette narration à faire pâlir de jalousie Ponson du Terrail. On reste confondu, rétrospectivement, par le peu d'interrogations que, dans l'ensemble, cette histoire à dormir debout a soulevées. Les journalistes d'outre-Atlantique en particulier, qui plus tard devaient mettre en pièces les mensonges de Nixon et de ses sbires et découvrir le scandale du Watergate, eux dont la critique rongeuse a souvent mis à mal la version

officielle de l'assassinat de Kennedy, se sont montrés
là singulièrement inhibés. Il est vrai que les possibilités d'enquête sur place étaient nulles, mais le bon sens
à lui seul peut suffire à débrouiller bien des intrigues.

On nous dit par exemple que Lin Piao disposait
uniquement des services d'un pilote novice, alors que
ses principaux appuis se trouvaient dans l'aviation,
dont le chef Wou Fa-sien était son complice! Ou
encore, comment imaginer que les diplomates chinois
aient pu se trouver sur les lieux avant les Soviétiques,
alors que la Mongolie-Extérieure est une simple
colonie russe? Pour bien saisir l'importance de ce
point, il faut rappeler que l'agence Tass, annonçant
l'accident quinze jours après qu'il se fut produit,
précisait qu'aucun des corps retrouvés n'avait plus de
cinquante-cinq ans. Or, Lin avait soixante-trois ans.
L'arrivée prétendue des Chinois avant les représentants soviétiques avait de fait pour but de dévaloriser
le communiqué de Tass. « Lorsque les Soviétiques
sont arrivés à leur tour et ont examiné les cadavres, il
était déjà trop tard pour les identifier », dit Chou En-
laï. Pourquoi alors les photographies prises par les
Chinois n'ont-elles jamais été présentées à la presse
étrangère [3] ?

3. Gilles Martinet a fait quelques remarques sur tout cela dans *le
Nouvel Observateur*. Nous les citons à titre d'information et d'après
l'extrait repris par *le Monde*.
    CHINE : « Une étrange collusion »
    « Dans le dernier numéro du *Nouvel Observateur*, Gilles Martinet
s'interroge sur ce qu'il appelle l' « étrange collusion » des services
d'information chinois et soviétique dans l'affaire Lin Piao. Après
avoir relevé que Moscou et Oulan-Bator ont observé pendant dix-
sept jours le silence sur l'accident d'avion du 12 septembre 1971,
Gilles Martinet note, après l'annonce de l'accident par l'agence
Tass : « Tous les termes ont leur importance : ˮ semi-carbonisés ˮ

Le journaliste Alain Bouc, dans un livre récent[4], estime pourtant que la thèse officielle bénéficie d'un argument de poids : si les Soviétiques avaient eu la preuve que la version chinoise était un tissu de mensonges, ils n'auraient pas manqué d'en faire des gorges chaudes. Or, ils se turent, alors que, la Mongolie-Extérieure étant dépendante des autorités de Moscou, celles-ci disposaient de tous les éléments du problème : les débris de l'appareil, les cadavres et sans doute quelques documents emportés par les passagers.

L'argument est selon nous sans valeur. Il y avait une bonne raison à la discrétion soviétique : la disgrâce de Lin Piao signifiait l'élimination d'une des tendances les plus dures du maoïsme, celle qui se confondait, non sans de lourdes ambiguïtés il est vrai, avec le déclenchement et le cours de la Révolution culturelle. Pour les Soviétiques, Lin n'était-il pas l'incarnation de cette dictature militaro-bureaucratique que leur propagande dénonçait à tout va? Son élimination, c'était le retour du parti aux affaires et, qu'on le veuille ou non, un cours politique nouveau

signifie " semi-reconnaissables ". Or les Soviétiques possèdent des renseignements extrêmement détaillés sur Lin Piao, qui a été autrefois longuement soigné dans leurs hôpitaux. Les " documents " [trouvés dans l'avion], eux, ne semblent pas avoir été " semi-carbonisés ". Autrement dit, les Soviétiques laissent entendre qu'ils savent beaucoup de choses sur la crise interne du P.C. chinois... La thèse de l'accident est-elle fausse? » se demande Gilles Martinet. « Ne perdons pas de vue que les Soviétiques n'ont jamais dit que Lin Piao était à bord de l'avion. Ils sont donc en mesure de démentir la thèse présentée aujourd'hui par Pékin. Or ils ne le font pas... Quel coup pourtant ne porterait-on pas à Mao en le prenant en flagrant délit de mensonge? Mais Mao agit comme s'il savait qu'il ne risque plus d'être contredit. »

4. *La Chine à la mort de Mao*, Éd. du Seuil, 1977.

plus modéré, peut-être même à long terme la perspective d'un rapprochement. Que sur ce dernier point les Soviétiques se soient jusqu'à présent trompés, ne rend pas leur silence d'alors moins explicable. Un régime appuyé sur la prédominance classique d'un parti était préférable aux yeux de Moscou à un régime militarisé. Que les Soviétiques aient donc évité de le gêner et de le discréditer, même s'il leur demeurait hostile, se comprend fort bien.

Le groupe central ad hoc.

L'apposition de banderoles ou d'affiches réclamant la lumière sur cet épisode est de nature à plonger Hua Kouo-feng dans une gêne extrême et pourrait bien constituer le signe avant-coureur d'une crise grave. En effet, le président a participé de concert avec Wang Tong-sing et Ki Teng-kouei aux enquêtes menées dans le cadre de l'affaire. Il existait à l'époque un groupe central *ad hoc* chargé des investigations. Y siégeaient des gens aussi connus que le maréchal Yeh, n° 2 du régime actuel, Li Teh-sheng et Tchen Si-lien, autres de ses figures de proue, ainsi que Tchiang Tchouen-kiao, l'idéologue maudit de la « bande des quatre », aujourd'hui hors de combat. On voit tout de suite combien, dans la logique sinueuse du régime, ceci pourrait faciliter une accusation de complicité avec lui. Ce groupe a préparé les documents qui ont livré à la Chine et au monde la version officielle de l'affaire Lin Piao. Le Comité central publia les *zhongfa* 4 et 12 [5] et diffusa le document 571 sur la

5. *Zhongfa* : document intérieur du Comité central. Ceux-ci révélaient toute l'affaire aux cadres du parti et furent peu après diffusés par Taïwan dans le monde entier.

base des conclusions de l'enquête et à partir des pièces qu'il recueillit. Le rapport final du groupe fut approuvé par le Comité central le 20 août 1973 et publié le 8 septembre : il faisait le récit systématique de la conjuration et de la mort de Lin Piao. Ce rapport n'a pu devenir officiel et être répandu dans la population qu'avec l'accord de Mao Tsé-toung et de Chou En-laï. On comprend donc que sa remise en cause aujourd'hui puisse avoir quelque chose d'explosif. Toute aggravation des doutes serait extrêmement dangereuse pour les gens au pouvoir, à l'exception bien sûr de ceux qui n'ont rien à voir avec tout cela. Qui sont-ils? Teng Siao-ping et tous les vétérans qui à l'époque étaient tenus à l'écart et n'ont donc pas trempé dans les machinations.

Faire des prévisions en matière de politique chinoise est risqué. Parler au futur est à éviter. Contentons-nous donc de formuler une hypothèse : si le récit de la mort de Lin est partiellement ou totalement faux, le clan Teng ne dispose-t-il pas d'un extraordinaire moyen de pression, pour ne pas dire de chantage, sur l'équipe en place? Nous risquerions alors d'entendre parler de Lin Piao pendant quelques années encore.

Il est évidemment très douteux que ce régime de l'ombre fasse vraiment toute la lumière sur cet épisode scabreux au possible, ne serait-ce qu'en raison du risque de ternir l'image de Mao et aussi celle, si chère au peuple et aux cadres, de Chou En-laï. S'il y a des éléments douteux dans le travail du groupe *ad hoc,* les révéler déclencherait une sorte de super-Watergate aux conséquences imprévisibles. Le régime risquerait d'être emporté complètement, cette fois, par le double discrédit d'une conjuration aux ramifications peut-être insoupçonnées et des efforts faits pour l' « expliquer ».

Le dauphin, avec sa liturgie, ses citations, son néo-confucianisme, était bien l'enfant, non désiré peut-être mais très naturel, du régime maoïste. Il n'allait pas chercher son inspiration à Moscou, contrairement à ce qu'on a dit parfois : tout ce qu'il clamait était bel et bien extrait des *Œuvres choisies* de Mao Tsé-toung. Il était un des chefs historiques de la révolution chinoise et on l'appelait « le meilleur élève du président[6] ». Lorsqu'il plongeait toute la Chine dans l'étude répétitive du bréviaire rouge, il ne faisait qu'étendre au pays tout entier l'habitude d'apprendre en groupe pour uniformiser les pensées individuelles, habitude qui est à la base de toute la vie idéologique du parti. Pas de camps, pas de terreur sans marxisme, dit Glucksmann ; on pourrait dire ici : pas de répression, pas de culte, pas de Lin Piao sans Mao. Le vice-président n'avait fait que porter à l'extrême certaines idées du président. Des gens de sa sorte ont pris depuis le pouvoir au Cambodge. Croit-on innocenter l'idéologie dont ils se réclament en disant qu'ils l'appliquent mal ?

L'histoire ne se répète pas, dit-on. Pourtant, comment ne pas remarquer la similitude de la situation intérieure chinoise et de celle qui existait en U.R.S.S. à la mort de Staline ? Malenkov succéda au « petit père des peuples » dans un esprit de continuité positive, avec le désir d'éviter les excès démentiels du

---

6. Les vainqueurs de Lin ont essayé d'effacer cela en rendant publique une lettre de Mao à Kiang Tsing datant de 1966, dans laquelle il exprimait ses doutes au sujet de son successeur. Il faut alors reconnaître qu'il a su les taire très longtemps ; et que penser de ces « révélations » aussi tardives qu'opportunes ?

défunt. Puis Khrouchtchev chassa Malenkov et introduisit dans le régime un important élément de rupture : il mit la caste dirigeante à l'abri des purges massives. Cette rupture, le XXᵉ Congrès et le Rapport secret la consommèrent sur le plan politique; ils signifiaient que le passé ne revivrait plus — non qu'ils aient mis fin à la répression en général, mais à celle-là seule qui décimait périodiquement les dignitaires et qui avait empêché cette caste de se solidifier et de se transformer en une véritable classe sociale.

Le parallèle avec la Chine d'aujourd'hui est inévitable. Hua succède à Mao dans l'ordre, en éliminant ce qui avait ébranlé le parti et traumatisé les cadres. Mais pour Teng ce n'est pas suffisant, il faut aller plus loin et rompre avec le passé. Cette rupture peut seule garantir selon lui la tranquillité des hiérarques et leur paisible évolution vers le statut de nouvelle classe dirigeante. Lui faudra-t-il pour cela écarter les continuateurs trop fidèles? Cette métamorphose du pouvoir n'a pas encore eu lieu. Hua se méfie et il a sans doute tiré la leçon de ce qui s'est passé en U.R.S.S. Teng aussi, qui accumule des forces. Si un choc violent devait se produire, l'affaire Lin Piao pourrait bien en constituer un élément clé, le sujet tout trouvé par exemple d'un rapport Khrouchtchev modèle chinois. Spéculations, diront certains. L'avenir nous renseignera.

Bien sûr, de fortes considérations jouent aussi dans le sens du maintien de la stabilité au sommet. Peu de dirigeants peuvent souhaiter une nouvelle crise qui affaiblirait le parti et compromettrait le redressement amorcé depuis deux ans. Les cadres vétérans, dont le poids est décisif, sont donc appelés à jouer un grand rôle en atténuant les chocs. Tout dépend de l'ordre des priorités qui est le leur : démaoïsation ou stabilité. Jusqu'à présent leur principe a été : stabilité *et* démaoïsation lente ; mais pourront-ils s'en tenir à ce programme ? [7]

7. *Le Quotidien du Peuple* du 8 décembre a fait allusion à l'affaire Lin Piao. Il a publié le récit très détaillé du détournement d'un hélicoptère par des conjurés désireux de gagner l'U.R.S.S., la même nuit du 12 au 13 septembre 1971. Il ne s'agissait pas de Lin et des siens mais d'un autre groupe de ses complices poursuivant le même but mais volant dans un appareil différent. Ce genre d'histoire convaincra ceux qui ont envie de l'être. Sa parution officielle montre qu'on a voulu conforter par ce récit parallèle truffé de « précisions » (mais non de preuves) la légende de la mort du dauphin. Cela montre aussi qu'on s'inquiète en haut lieu du scepticisme populaire au sujet de « l'affaire ».

ANNEXE DU CHAPITRE VII

A. *Le document 571.*

Ce texte constitue la pièce maîtresse du dossier d'accusation contre Lin Piao. Il est censé prouver sa culpabilité et son opposition radicale à Mao Tsé-toung.

Pour le lire avec fruit, certaines précisions doivent être présentes à l'esprit. Ce plan n'est pas celui que Lin voulait exécuter en septembre. C'est en mars 1971, six mois auparavant, que son fils Lin Li-kouo, l'aurait rédigé à sa demande. Il ne mentionne pas le projet d'assassinat de Mao dans le train Changhaï-Pékin. 571 se dit en chinois *wuqiyi,* ce qui est l'homonyme de « soulèvement armé ». Ces vocables à double sens évoquent de manière typique les sociétés secrètes chinoises.

L'auteur trouve ce document suspect en raison de certaines bizarreries de rédaction, qu'il a soulignées. On y trouve en effet des expressions qui laissent rêveur. Peut-on sérieusement envisager que des conjurés décrivent leur entreprise comme une « révolution de palais », ou un « coup d'État de palais »? Ce terme péjoratif a dans l'univers politique chinois une connotation particulière. Il a été utilisé pour évoquer l'arrivée au pouvoir de Khrouchtchev. Les comploteurs s'auto-accusent donc presque ici de révisionnisme. On atteint le comble de l'invraisemblable lorsqu'ils se fixent comme tactique d' « *agiter le drapeau de*

B 52 pour s'opposer à B 52 » (B 52 désigne Mao en code).
Là encore, cette expression n'est pas innocente : la presse
chinoise l'a constamment utilisée depuis dix ans pour flétrir
tous les déviationnistes et en particulier les partisans de
Liou Chao-chi, « le Khrouchtchev chinois », dont Lin Piao
avait accéléré la chute. Enfin, il est fort curieux que Lin
Piao ait pu croire qu'il bénéficierait du « *parapluie
nucléaire soviétique* » pour un « coup d'État de palais ». Il
faudrait supposer le maréchal totalement ignare en matière
de stratégie atomique. L'expression « parapluie nucléaire »
n'est pas courante dans la presse chinoise. Elle semble
figurer dans le texte pour faire « couleur locale » et prêter
aux conspirateurs un jargon occidental destiné à accréditer
la thèse de leurs liens avec l'étranger.

PLAN DE COUP D'ÉTAT. DOCUMENT 571 [1]
(Extraits)

« A la suite du second plénum du IX⁰ Congrès national
du P.C.C., la situation politique est incertaine, la clique au
pouvoir prend des mesures qui défient le bon sens, les
masses paysannes sont persécutées, l'économie est stag-
nante, le niveau de vie réel des masses, des cadres locaux
et des soldats est en régression, et le mécontentement se fait
chaque jour plus net, le peuple n'osant parler et encore
moins manifester sa colère. Il est évident que la clique au
pouvoir est corrompue, inefficace et détachée des masses.
Il faut donc s'attendre à une crise politique ; des luttes de
factions pour le pouvoir sont imminentes, la Chine étant
actuellement engagée dans un processus de coup d'État
politique graduel et pacifique.
B 52 [*nom de code de Mao Tsé-toung*] a eu constamment
recours à cette technique de coup d'État qui favorise ceux
qui combattent avec la plume plutôt que ceux qui

---

1. Tel est le titre que, selon le *zhongfa* n⁰ 4 du Comité central en
date du 13 janvier 1972, Lin Li-kouo aurait donné à ce texte.

combattent avec le fusil. Pour cette raison, nous devons mettre un terme à cette lente et pacifique évolution par une révolution violente et radicale. Si, au contraire, nous ne mettons pas en route le « projet 571 » pour mettre un terme à cette évolution, nul ne sait combien de têtes rouleront dans la poussière et nul ne sait combien d'années de retard aura la révolution chinoise si nous ne l'emportons pas.

Un nouvel affrontement est inévitable. Si nous ne nous emparons pas du contrôle de la direction de la révolution, la direction nous échappera. Nos forces, après plusieurs années de préparatifs, ont obtenu de remarquables résultats sur le plan militaire, de l'organisation et de l'idéologie.

Nous disposons donc d'une base matérielle et idéologique certaine. A travers le pays, nos forces seules sont en progrès. Il est évident, enfin, que celui qui contrôlera la direction de la révolution sera maître du pouvoir politique à l'avenir.

Dans cette révolution politique de la Chine de demain, quelle attitude sera celle de notre « flotte »? [*Nom de code pour désigner les forces de Lin Piao et de sa clique.*]

Le contrôle de la direction de la révolution revient au contrôle du pouvoir politique de demain. La direction de la révolution revient historiquement au commandant de la « flotte ». Comparé aux « projets de construction 571 » dans d'autres pays, le nôtre est de loin supérieur, que ça soit en termes de forces ou de préparatifs, et nos chances de succès de ce fait se trouvent considérablement renforcées.

Comparées aux forces de la révolution d'Octobre, les nôtres ne sont nullement inférieures à celles de l'Union soviétique à l'époque. Du point de vue géographique nous disposons d'un champ de manœuvres étendu, les forces aériennes nous assurent une grande mobilité, et, toutes proportions gardées, il est plus aisé aux forces aériennes de s'emparer par la révolte du pouvoir politique sur l'ensemble du territoire. Les différentes régions militaires se limiteront à des opérations régionales.

L'alternative qui se présente à nous est la suivante : la prise du pouvoir sur l'ensemble du territoire national ou une occupation régionale limitée.

L'essentiel de nos forces : la flotte combinée et les diverses flottes opérationnelles (Changhaï, Pékin, Canton), les 4ᵉ et 5ᵉ corps d'armée (principales forces) contrôlés par Wang (Weikuo), Ch'en (Li-yun) et Chiang (Teng-chiao); les 9ᵉ et 18ᵉ divisions, le 21ᵉ régiment blindé, l'aviation civile et la 34ᵉ division.

Les forces disponibles : 20ᵉ et 38ᵉ corps d'armée; la section administrative du commissaire militaire Huang (Yung-shen); la commission scientifique de la défense nationale; Canton, Chengtu, Wuhan, Kiangsu, Tsinan, Fuchou, Sinkiang, etc. Négociations (secrètes avec l'Union soviétique); utilisation des forces armées soviétiques pour faire pression et neutraliser d'autres *forces; bénéfice temporaire du parapluie atomique soviétique.*

Les jours sans problèmes de B 52 sont comptés. Nous l'inquiétons. Il est préférable de se tenir prêts à agir plutôt que d'attendre d'être pris pieds et poings liés; ainsi, nous devancerons l'ennemi, militairement d'abord, et politiquement ensuite.

Les membres de la faction trotskyste, qui sont partisans de la plume contre le fusil, dénaturent le marxisme-léninisme pour arriver à leurs fins. Ils substituent au marxisme-léninisme le style fleuri de la fausse révolution, trompant et donnant le change au peuple chinois. Leur théorie actuelle de la révolution continue n'est rien d'autre en réalité que la théorie de la révolution permanente de Trotsky. Leur révolution se fait en réalité non pas pour mais contre le peuple chinois, et ce sont les forces armées et tous les dissidents qui sont directement soumis à leurs attaques. Leur socialisme est essentiellement un fascisme social; ils ont transformé l'appareil de l'État en un monstre avide d'oppression et de massacre, et la vie politique du parti et de la nation en système féodal et paternaliste.

Évidemment, nous ne pouvons nier le rôle qui fut celui

de B 52 dans l'histoire de l'unification de la Chine; conséquemment nous l'avons soutenu et lui avons réservé une place digne de lui dans l'histoire de la révolution.

Toutefois, il est évident aujourd'hui qu'il abuse de la confiance investie en lui par le peuple chinois et qu'il est devenu le Tsin Tche-houang des temps modernes.

En remplissant nos responsabilités envers le peuple chinois dans le cadre de l'histoire de la Chine, notre patience doit être limitée. B 52 n'est pas un véritable marxiste-léniniste mais plutôt un grand tyran féodal de l'histoire de Chine, un faux marxiste qui suit la voie de Confucius et de Mencius et gouverne avec des lois dignes de Tsin Tche-houang.

Les conditions favorables : intensification des contradictions politiques à travers le pays et déclin constant du pouvoir dictatorial.

La clique au pouvoir est extrêmement instable à l'intérieur et soumise aux constantes répercussions des luttes pour le pouvoir; les conflits entre personnes ont atteint leur zénith.

Les forces armées sont soumises à toutes sortes de persécutions et les cadres intermédiaires et supérieurs, qui détiennent le pouvoir réel dans l'armée, sont mécontents.

Une poignée d' « intellectuels » gouvernent de manière tyrannique, se faisant des ennemis partout, perdant la tête et surestimant leurs propres capacités.

Les cadres victimes des luttes entre factions à l'intérieur du parti pendant la révolution culturelle sont dans l'impossibilité de donner libre cours à leur rage.

Les paysans manquent d'habillement et de nourriture.

La campagne de ruralisation des jeunes générations et des intellectuels n'est rien d'autre qu'une forme déguisée de travaux forcés.

Les Gardes rouges, leurrés, manipulés, ont servi, d'une part, de chair à canon pendant la première phase de la Révolution culturelle et de boucs émissaires pendant la seconde.

L'envoi des cadres dans les écoles du 7 mai, après qu'ils eurent été privés de leurs positions à la suite de la simplification des agences gouvernementales, équivaut à une forme de chômage obligatoire.

Le blocage des salaires des ouvriers (en particulier des plus jeunes d'entre eux) n'est rien d'autre qu'une nouvelle forme d'exploitation.

Compte tenu du conflit entre la Chine et l'Union soviétique et des mauvais traitements infligés par les maoïstes aux Russes, nous pouvons compter sur l'appui de l'Union soviétique. La plus importante condition : le prestige et la puissance de notre chef et la puissance de la flotte combinée.

Conditions naturelles favorables : l'ampleur du territoire national nous fournit un champ de manœuvre qui, conjugué avec la mobilité que nous confère le contrôle des forces aériennes, devrait constituer un facteur décisif en cas d'attaque surprise et même de retraite.

Difficultés : actuellement, nos forces ne sont pas encore au maximum de leur préparation.

Le culte de B 52 est encore profondément enraciné dans les masses. En raison de la politique de B 52 de « diviser pour régner », les contradictions à l'intérieur des forces armées sont particulièrement fortes, ce qui rend difficile la constitution d'un front uni sous notre contrôle.

B 52 se montre rarement en public, ses mouvements s'entourent d'un grand mystère, les mesures de sécurité autour de sa personne sont très strictes, tous facteurs qui rendent plus difficile notre action.

D'un point de vue tactique, d'autre part, l'ennemi et nous-mêmes nous trouvons dans une situation difficile qui interdit toute retraite.

Actuellement, l'équilibre des forces en présence est extrêmement instable et cette situation ne saurait se prolonger longtemps, l'équilibre des contradictions étant par nature provisoire alors que le déséquilibre est absolu.

Il s'agit d'un combat sans merci. S'ils réussissent, nous

serons emprisonnés ou jetés en forteresse. Ou bien nous l'emportons, ou bien ils l'emportent.

Deux situations du point de vue de la stratégie. — La première : nous sommes prêts et en mesure de l'emporter ; la seconde : l'ennemi s'apprête à nous dévorer, et nous sommes en grand danger. Il nous faut donc être prêts à passer à l'action quelle que soit la situation, que nous soyons prêts ou non.

Tactiques à adopter. — Quand B 52 sera tombé entre nos mains et que tous les bateaux de guerre [N.D.L.R. : désigne les responsables du comité central] de l'ennemi seront passés sous notre contrôle.

Utiliser une réunion importante du parti pour rassembler d'un coup tous les éléments à éliminer.

D'abord, éliminer ses « inconditionnels », puis forcer B 52 à *se plier à la réalité de cette révolution de palais.*

Utiliser toutes les méthodes spéciales, gaz, armes bactériologiques, bombes, 543 (arme secrète), accidents d'automobile, enlèvements, équipes de guérilla urbaine [...]. Tchiang Tchouen-kiao doit être arrêté. [...] ATTAQUER B 52 EN AGITANT LE DRAPEAU DE B 52, de façon à se concilier l'opinion publique, unir toutes les forces susceptibles d'être unies, libérer la majorité et concentrer l'attaque sur B 52 et sa poignée de dictateurs. [...]

Il sait que nous attaquer tous ensemble équivaut à un suicide. Par conséquent, il se gagne toujours les faveurs de la faction au pouvoir pour frapper une autre faction.

Aujourd'hui, il l'emporte sur celle-ci pour éliminer celle-là et demain, peut-être, il se rapprochera de celle-là pour mieux se débarrasser de celle-ci.

Au cours des dernières décennies, quel est l'homme qui, après avoir joui de sa confiance, n'a pas été condamné à la déchéance politique ?

Quelle force politique a pu collaborer avec lui du début jusqu'à la fin ?

Quand il a décidé de faire perdre la face à quelqu'un, il

ne s'arrête jamais à mi-chemin. Et il rejette toujours la responsabilité de ses échecs sur d'autres.

A franchement parler, tous ses proches, une fois éliminés, sont devenus ses boucs émissaires.

Par le passé, nombreux furent ceux qui se firent les propagandistes de B 52 soit pour des raisons d'ordre historique, pour la cause de l'union nationale, pendant la période de la guerre de résistance au Japon, en raison des pressions fascistes qu'il exerçait sur eux, soit, dans le cas des masses populaires, parce qu'ignorant totalement les dessous du personnage.

Pour tous ces camarades, nous passerons l'éponge et leur accorderons notre protection, après avoir procédé à l'analyse historico-matérialiste de leur passé.

Tous ceux qui ont eu à souffrir des persécutions de B 52 pour des crimes imaginaires se verront accorder l'amnistie politique.

Sécurité et discipline. — Ce projet est classé « top secret ». Aucune révélation n'est permise sans autorisation préalable.

Soyez fidèles au principe selon lequel toute action doit s'inspirer de l'esprit « Eda Shima » [N.D.L.R. : « Eda Shima » désigne l'Académie navale japonaise ; l'Académie formait ses aspirants dans l'esprit du *bushido*, l'idéal des samouraïs].

La victoire ou la mort.

Quiconque divulguera le secret, négligera son devoir ou trahira notre cause, sera passible des sentences les plus graves. »

(Sources : M. Y. Kau, *The Lin Piao Affair, op. cit.; le Monde* du 2 septembre 1972.)

B. *Notes de voyage.*

Pékin, le 13 juillet 1977

L'étranger parcourut du regard l'immense place Tien-an-Men. Il n'avait pas revu Pékin depuis neuf ans. Que de changements! A commencer par l'aspect de la place elle-même, où derrière le monument aux martyrs de la révolution s'élevait un imposant mémorial dédié à Mao. Désormais, une énorme circulation automobile était venue s'ajouter au flot des bicyclettes. La capitale de la Chine connaissait les embouteillages et le respect du code de la route mobilisait des agents de police plus nombreux qu'autrefois.

Subtilement, discrètement, le vêtement avait lui aussi changé. On ne portait plus guère de kaki chez les civils, on n'imitait plus l'armée. La coquetterie réapparaissait. Les filles portaient des pantalons légèrement plus ajustés et relevaient les courtes manches de leurs chemisettes, timide expression de la mode du moment. Les cheveux étaient plus longs, les blouses plus colorées. On voyait quelques amoureux se tenir par la main. On voyait aussi, peu fréquemment à vrai dire, de jeunes marginaux cultiver une version chinoise du style *punk :* lunettes noires, cheveux dans le cou, moustaches, gants blancs. Qui étaient ces jeunes souvent délinquants, que les Chinois appelaient *liumang?* Avaient-ils participé à la Révolution culturelle pour se retrouver ensuite rejetés ou réprimés? Étaient-ils de ces gauchistes désabusés qui avaient eu le tort de croire et de lutter? Ils paraissaient un peu jeunes pour cela. Ils étaient plutôt de ces adolescents qui, d'une manière ou d'une autre, cherchaient à échapper au bannissement rural et qui, sans illusion sur le régime et son attitude envers la jeunesse, affichaient un non-conformisme agressif.

La Chine avait un nouveau président. Chacun savait qu'elle aurait bientôt un « nouveau » vice-Premier ministre[2], Teng Hsiao-ping. Les affiches, les slogans sur les murs étaient rares. Les drapeaux rouges aussi. Finis les cortèges, les meetings, la floraison, le raz de marée de journaux muraux qui submergeaient la ville dix ans

2. Teng ne revint aux affaires que le 20 juillet, soit cinq jours après.

auparavant. On voyait encore quelques Gardes rouges pourtant : de sages lycéens de douze ans qui, armés d'un porte-voix, lisaient des passages du code de la route près des carrefours les plus animés. Qu'étaient devenus les Kouaï Ta-fou, les Nieh Yuan-tse, le régiment Tsinkiang-shan, les célestes et les terrestres, Wang Li, Tsi Pen-yu et tant d'autres? Aujourd'hui la Chine vivait à l'heure de la productivité. Dans tout le pays, on tenait des conférences sur l'économie. Les cadres de l'industrie et de l'agriculture se réunissaient constamment. Il fallait se mettre à l'école de Taking. C'était l'heure des managers.

L'étranger regarda la tribune vide en bordure de la Cité interdite. Il crut y voir trois fantômes. Mao bien sûr et Chou En-laï, l'autre grand disparu, que les Chinois adoraient et dont on voyait si souvent les photographies ; entre eux deux, il y avait un troisième homme, un militaire à l'air chafouin, qui agitait un *Livre rouge*. Comment regarder cette place et cette tribune sans les voir, les trois plus grands acteurs de cette tragédie qui avait marqué la décennie écoulée !

Dix ans auparavant, à une semaine près, Lin Piao s'était montré là, aux côtés de Wang Li revenu blessé de Wuhan. Un million de personnes occupaient la gigantesque esplanade ; la ville, la Chine entière étaient mobilisées, tendues. Combien y en avait-il eu, de ces réunions, de ces rassemblements colossaux? Il lui semblait entendre la voix nasillarde du maréchal haranguant les Gardes rouges, avec son accent si particulier et sa rhétorique ampoulée. Le passé obsédait l'étranger comme il devait obséder bien des Chinois.

Il se souvint d'une étrange anecdote que lui avait contée la veille un de ses amis français qui travaillait à Pékin. Le jour de la mort de Mao, le 9 septembre, *le Quotidien du peuple* portait en première page une grande photo montrant la dépouille du président allongée sur un catafalque. Le Français avait remarqué à plusieurs reprises, sur son lieu de travail et dans la rue, des groupes de Chinois rassemblés autour d'un exemplaire du journal, qu'ils tenaient à l'envers en discutant avec animation. D'autres personnes lui dirent qu'elles avaient vu la même chose. Il lui fallut quelque temps pour savoir de quoi il s'agissait. Derrière la tête du défunt président, des couronnes s'amoncelaient et, en mettant la photo à l'envers, on voyait entre les fleurs une tache blanche qui ressemblait au visage d'un homme masqué. *Le spectre de Lin Piao,* disaient les Chinois. Il veillait aux côtés du mort.

L'étranger avait voulu voir ce numéro du *Quotidien du peuple.* A vrai dire, il fallait de l'imagination pour distinguer un homme masqué dans les fleurs. Les superstitions demeuraient vivaces en Chine, tout simplement. Mais il n'était pas sans signification que cette rumeur ait couru dans la population. L'ascension puis la chute du dauphin avaient terni la fin du règne. Lin Piao et Mao Tsé-toung apparaissaient aux Chinois comme Banquo et Macbeth.

LA « LIBÉRALISATION » DE M. TENG

Le 10 octobre 1978, le maire de Pékin, Wu Teh, fut démis de ses fonctions [1]. Selon le rite consacré, la nouvelle devint officielle le lendemain par des affiches placardées dans les rues de la capitale. Ainsi s'achevait la première manche de la lutte qui oppose le clan de Teng à celui de Hua. La chute de Wu constituait un indéniable succès du premier et illustrait de façon particulièrement nette son influence grandissante. Critiqué par voie d'affiches depuis de longs mois, Wu n'avait conservé son poste que grâce à l'appui personnel de Hua ; néanmoins son remplaçant Lin Hou-kia n'est pas un fidèle notoire de Teng et sa nomination ne semblait pas indiquer que la capitale changeait de mains. Si donc les protecteurs de Wu avaient dû céder à une coalition puissante, ils n'avaient apparemment pas perdu tout moyen d'influencer la situation et demeuraient capables d'imposer des compromis.

Ainsi, la campagne pour la « démocratie », dont la publication en juillet du discours de Mao de 1962

1. La disgrâce du chef de la région militaire Tchen Si-lien aurait suivi de peu, selon certains bruits.

avait constitué un jalon marquant [2], s'accompagnait de la dénonciation de certaines méthodes autoritaires dont on avait lieu de penser qu'elles pouvaient bien être celles de Teng Siao-ping lui-même. Parler de démocratie revient à dénoncer un centralisme que le premier vice-Premier ministre, dirigeant suprême pendant des années, est porté à concevoir d'une manière assez lourde, nécessairement différente de celle de Hua qui fut lui, très longtemps, un dirigeant provincial. Cette opposition centre/provinces est très importante pour comprendre la situation présente. Le président du parti dispose de toute une clientèle de cadres régionaux qui mettent leurs espoirs en lui et se méfient des « centraux », trop portés, à leurs yeux, à prendre des décisions auxquelles ils ne sont guère associés sur le terrain. Les témoignages des voyageurs venus de Chine montraient au début de l'automne que dans les provinces, l'atmosphère était différente de celle de Pékin. Les exhortations de Teng à approfondir la lutte contre les « quatre » et à entamer une critique « véritable » de Lin Piao n'avaient aucun écho dans certaines zones où, en plein accord avec les recommandations de Hua, on considérait que les enquêtes et la répression n'avaient plus désormais de raison d'être.

Cela étant donné, les signes de l'autorité croissante de Teng Siao-ping ne pouvaient manquer d'impressionner. Au cours de la seule année de 1978, les premiers secrétaires de la municipalité spéciale de Tientsin, des provinces du Liaoning et du Sinkiang

2. Voir chapitre VI, page 241.

avaient été relevés. Le cas du Sinkiang, où le dirigeant local Saïfudin passait pour proche de Hua, préfigurait un peu celui de Pékin et de Wu. De plus et surtout, la multiplication des décisions politiques portant la marque du premier vice-Premier ministre était très frappante. Elles permettaient de mesurer la réalité de son pouvoir. Ainsi, le nombre des réhabilitations enregistrées au cours des derniers mois était-il considérable. Une personnalité aussi importante que l'ex-maire de Pékin, Peng Chen, adversaire notoire de Mao et première victime de la Révolution culturelle, était dans le lot. Il s'agissait là d'un événement politique sensationnel. Il fit même croire à la réhabilitation imminente de Liou Chao-chi lui-même, l'ex-président devenu depuis 1966 la suprême incarnation du révisionnisme antimaoïste. C'est encore anticiper sur l'événement, mais il faut dire que la réhabilitation de Meng Taï à Anshan et de feu Tsao Ti-sieou, l'ex-maire de Changhaï, tirait déjà dès septembre un énorme trait sur la Révolution culturelle.

Ces impressions prévalaient encore à la mi-novembre. C'est alors qu'un pas fondamental fut franchi, prouvant que les partisans de Teng repassaient à l'offensive et consolidaient leurs avantages. Le 16 novembre 1978, *le Quotidien du peuple* et le journal des intellectuels, *Clarté,* lançaient une violente attaque contre la Révolution culturelle (sans la nommer) et faisaient entrer la campagne de démaoïsation dans une phase décisive. Les traditionalistes groupés autour du président Hua paraissaient du même coup affaiblis et leur rôle de gardiens de l'orthodoxie compromis. Les événements d'avril 1976 à Tien-an-Men étaient réinterprétés et qualifiés de révolutionnaires. Les manifestants arrêtés à l'époque étaient blanchis et un discrédit total touchait la municipalité qui les avait fait incarcérer. Tout cela constituait un incontestable échec pour le clan de Hua Kouo-feng. Des affiches fleurissaient à nouveau dans la capitale. Comme par hasard, elles mettaient en cause son principal allié au Bureau politique, le vice-président Wang Tong-sing. La rivalité des deux clans entrait donc dans une phase nouvelle.

L'article du *Quotidien du peuple* parlait de « faux procès » et de « verdicts erronés » à propos de la Révolution culturelle. Il faisait clairement allusion à Mao en indiquant que tel était le cas de « décisions prises depuis très longtemps, qui avaient eu une grande influence et qui avaient été approuvées par " *un certain dirigeant suprême* " ». Personne ne pouvait douter de l'identité de la personne ainsi visée. La remise en question du maoïsme était donc officialisée, et pendant un temps les colleurs d'affiches de la capitale n'allaient plus se priver de critiquer nommément le disparu.

Dans les derniers jours de novembre, la population pékinoise entrait dans une vive effervescence... Placards et caricatures foisonnaient et certains étaient ouvertement hostiles à l'héritage maoïste. Des hommes parlaient aux carrefours pour demander des libertés plus grandes. « Démocratie », tel était au cours de ces rassemblements le maître mot. Des ouvriers venus du Koueitcheou placardaient un manifeste en quatre-vingt-dix feuilles traitant des droits démocratiques du peuple. On entendait des slogans comme : « A bas toutes les dictatures! » La réhabilitation de l'adversaire n° 1 de Mao, Liou Chao-chi, devenait de moins en moins inconcevable, à condition d'être discrète et graduelle. Une soif de communiquer sans précédent s'était emparée de la capitale et bientôt des manifestations spontanées éclataient dans les rues tandis que le nom de Teng était acclamé. Mais visiblement les choses allaient trop loin ou trop vite au gré des dirigeants... Teng Siao-ping faisait bientôt circuler un document en dix-neuf points rappelant la population à l'ordre. Il y déclarait que certaines affiches étaient « erronées », qu'il ne fallait pas pousser trop loin la critique et que « les masses populaires devaient être guidées ». La démocratie, les bureaucrates ne l'aiment qu'à petites doses.

L'ensemble de ces faits constitue un tournant de la politique intérieure chinoise et si toutes les conséquences n'en sont pas encore entièrement mesurables, un premier bilan est possible. Il montre qu'en tout état de cause, l'ère de continuité entamée en octobre 1976 sous l'égide de Hua Kouo-feng s'achève. L'œuvre de Mao a été officiellement mise en cause, et ceci va loin. En parlant de « verdicts datant de très longtemps », l'article précité du *Quotidien du peuple* conteste le bien-fondé de la destitution de Peng Teh-huaï et de son remplacement par Lin Piao en 1959. L'ex-ministre a été blanchi et il est clair que Teng et ses amis veulent effacer une ligne politique vieille de vingt ans. Mais sans doute chercheront-ils à procéder par étapes.

Bien que la circulaire en dix-neuf points du début de décembre ait constitué pour la population pékinoise une douche froide, d'ailleurs prévisible compte tenu de la nature du régime et de la mentalité des hommes qui le guident, une certaine détente est néanmoins sensible. Parler de « dégel » ou de « libéralisation » est d'un optimisme hélas dérisoire, mais on s'est éloigné de contraintes jusque-là très pénibles. Ainsi, en matière littéraire et artistique, le despotisme sommaire et bureaucratique de Kiang Tsing a laissé place désormais à une ouverture toute nouvelle : chefs d'orchestre en visite, expositions de peintures chinoises traditionnelles et étrangères, tout cela contraste avec la stérilité et la terrible monotonie des années précédentes. L'ancien opéra de Pékin a connu un début de réhabilitation, tandis que revivent les associations nationales de chanteurs, de danseurs, d'écrivains, longtemps tenus pour « révisionnistes ». Des artistes aussi célèbres que Lao She [3], Tchen Teng-keh, Liou Pai-yu, Pa Kin, Hsia Yen, Yu Ling, Liou Tsing, Mao Dun sont honorés de nouveau, certains hélas à titre posthume. Ces mesures sont éminemment positives.

On doit s'en réjouir, car elles permettent d'espérer pour les Chinois un peu moins d'oppression et des possibilités de création plus larges. Mais on peut craindre aussi que tout cela ne soit que conjoncturel et fragile. Les Cent Fleurs en 1957, la Révolution culturelle dix ans plus tard ont fourni parfois l'occasion de défoulements intenses, plus même que ceux de novembre dernier, mais furent suivis de périodes de normalisation douloureuses.

---

3. Lao She est un des plus grands auteurs chinois contemporains. Il a écrit *Cœur Joyeux coolie de Pékin,* où il dépeignait de façon émouvante la vie du petit peuple. Traîné à divers meetings d'accusation et violemment battu malgré son grand âge, il mourut en juin 1966. Les autorités chinoises ont longtemps caché la vérité sur sa mort et ont diffusé, de manière officieuse, une version fausse qui les innocentait. Les nouveaux dirigeants reconnaissent aujourd'hui qu'il a péri victime de violences et en font peser la responsabilité sur leurs adversaires.

Les événements en cours ont confirmé les analyses contenues dans ce livre, rédigé pour l'essentiel pendant l'été 1978; au moment de sa parution, l'avenir demeure incertain et les pronostics difficiles en ce qui concerne l'issue des conflits qui traversent l'équipe dirigeante.

Plusieurs scénarios sont à envisager. Hua Kouo-feng peut déclencher une contre-offensive et renverser le courant politique actuel. Il devrait lancer alors une campagne de propagande pour restaurer l'image de Mao et flétrir ses critiques. Une telle réaction impliquerait des appuis considérables dans le parti et dans l'armée, supérieurs à ceux de son rival. Cela paraît à première vue improbable car, depuis le début, les officiers les plus influents ont soutenu le premier vice-Premier ministre sans défaillir. Néanmoins l'armée demeure, dans une certaine mesure, la grande inconnue car on sait que certains officiers régionaux comme Li Teh-sheng sont des amis de Hua. D'autre part, on ne peut exclure l'hypothèse où la situation actuelle déboucherait sur un renouveau de l'agitation populaire, entraînant une certaine instabilité, voire un ébranlement du régime. Ceci porterait les militaires à soutenir une politique plus centriste. De tels retours de flamme favoriseraient bien sûr le président du parti.

Le deuxième scénario verrait au contraire l'élimination complète des gardiens de la tradition. La démaoïsation s'amplifierait, Liou Chao-chi serait réhabilité et nombre de cadres issus de la Révolution culturelle seraient chassés du parti. Une telle possibilité demeure. Les placards attaquant Wang Tong-sing dans les rues lui reprochent d'avoir « suivi Lin Piao »; il est ainsi placé dans la situation qui était celle de Wu Teh précédemment et qui a abouti à sa chute au bout de dix-huit mois. Ceci est à rapprocher d'un fait important, signalé par les agences de presse mais guère souligné : Ki Teng-kouei, autre éminent partisan de Hua, a été remplacé au poste de responsable politique de la région militaire de Pékin par Taï Ki-wei, un fidèle du premier vice-Premier ministre. Une perspective menaçante se profile donc pour les hommes du président : celle d'une mise à l'écart ou d'une destitution plus ou moins spectaculaire, après que leurs moyens d'action se seraient réduits comme une peau de chagrin.

Il n'est pas sûr pourtant que les choses se passent ainsi, car une crise au sommet aurait de graves conséquences et ferait renaître le découragement tout en compromettant le redressement intérieur et extérieur opéré depuis deux ans. Interrogé à la fin de novembre par des correspondants étrangers alors qu'une réunion des organes dirigeants venait de se tenir, Teng Siaoping a déclaré que la stabilité et l'unité étaient nécessaires. Il a pris ses distances avec les manifestants qui critiquent Mao et ceux qui suggèrent la réhabilitation de Liou Chao-chi. Il a fait de même avec ceux qui, profitant de la révision du verdict sur l'incident de Tien-an-Men, contestaient et sa propre destitution d'alors et son remplacement « illégal » par Hua. Teng a déclaré que ce dernier n'était nullement visé par la campagne actuelle pour la démocratie et qu'il n'avait pas l'intention de lui reprendre le poste de Premier ministre. A l'en croire donc et dans l'immédiat, les débats de cette fin d'automne ne devraient pas déboucher sur une modification de l'équipe dirigeante. Mais l'unité proclamée n'empêcherait pas la persistance des divergences et les oppositions resteraient sensibles. L'évolution pourrait conduire à l'iso-

lement de Hua Kouo-feng à la tête du parti, où il
demeurerait comme une sorte de président-potiche,
devenu l'otage de son rival. Il conserverait ses fonctions pour des raisons d'opportunité afin de sauver
les apparences et de ne pas ouvrir une nouvelle crise.
Ce serait le troisième scénario.

Le quatrième verrait Hua sacrifier ses amis et se
rallier avec armes et bagages à la ligne adverse, qu'il
appuierait de son autorité. Ce serait une façon d'assurer sa survie politique alors que commence à sombrer
la nef de l'orthodoxie. L'unité serait là encore proclamée, mais le cours politique n'en évoluerait pas
moins inexorablement [3 bis].

De tous les scénarios possibles, le plus improbable
paraît être que les deux groupes s'unissent sans arrière-
pensées et pratiquent une politique qui les satisfasse
pleinement l'un et l'autre. Mais sait-on jamais, avec
les communistes chinois?

Il est plus probable que la politique chinoise
poursuivra son évolution, qui deviendra peut-être
irréversible. L'héritage de Mao est voué, sinon à
disparaître, du moins à être bien entamé. L'ouverture sur l'extérieur et le rapprochement avec le
Japon, par ce qu'ils impliquent d'intégration au
système des prêts internationaux et de servitudes
dues aux transferts de technologie, requièrent à plus
ou moins court terme la liquidation des dogmes du
passé et du principe « compter sur ses propres

3*bis*. Au début de 1979, un compromis se dégage au sommet :
seront réhabilitées toutes les victimes de la Révolution culturelle
tandis que les cadres qui en sont issus demeureraient en place.
Officiellement, le dépistage des complices des « quatre » a pris
fin. La récente réunion du Comité central semble confirmer cet
équilibre.

forces » dont Mao avait fait la règle d'or de son régime.

Désormais, la voie est libre pour que le pouvoir politique chinois passe ouvertement et définitivement aux mains d'une caste bientôt transformée en classe dirigeante, abritée des épurations et libre d'accroître ses prélèvements et ses passe-droits. Sur le plan international, elle devra garantir en outre que sa politique ne sera plus jamais compromise par la résurgence du radicalisme. Aussi doit-elle entamer des réformes et tailler dans l'édifice maoïste pour en retirer ce qui peut favoriser la renaissance du gauchisme. La participation des cadres au travail manuel, la relative décentralisation du pouvoir et de la planification, l'allègement des appareils administratifs sont menacés. De même le dogme de la réduction des écarts entre villes et campagnes, entre intellectuels et manuels est appelé à décliner au profit d'une idéologie productiviste vouée au culte de la croissance.

A terme, au-delà des querelles de personnes et des luttes de clans, la stricte orthodoxie est condamnée au profit d'un « modernisme » salué comme « réaliste » çà et là mais où il est loisible de voir l'affirmation de la volonté de puissance et du nationalisme des nouveaux maîtres de la République populaire. Trois empires dominent virtuellement le monde, et notre destin pour une longue période sera déterminé par leur rivalité. L'émergence de la Chine comme troisième super-puissance se produit sous nos yeux. Elle annonce à grand fracas la mort des idéologies et l'essor sans frein des ambitions étatiques. Oui, le troisième millénaire sera difficile à vivre.

Le peuple chinois sera-t-il plus libre? Il semble indispensable de souligner combien les termes de « démocratie » d' « antibureaucratisme » et de

280 *Les nouveaux maîtres de la Chine*

« libéralisation » qui fleurissent déjà à propos des événements actuels sont relatifs dans une République populaire où le pouvoir appartient sans partage à un parti communiste dont les structures, comme celles de tous les partis communistes du monde, sont le produit du prétendu centralisme démocratique.

Teng peut l'emporter et réhabiliter plus de gens encore, diversifier plus encore la production artistique et littéraire, il n'en demeurera pas moins un apparatchik et sa politique celle d'un apparatchik. Il s'est trouvé jadis des gens nullement procommunistes, nullement prosoviétiques, pour nous présenter Khrouchtchev comme un apôtre de la paix, voire, selon un grand hebdomadaire, comme un disciple de Gandhi en même temps qu'un homme désireux de faire évoluer son pays vers plus de liberté. Mais le khrouchtchevisme ne fut qu'un court épisode dans l'histoire de l'U.R.S.S., et l'on se rend bien compte sous Brejnev que les possibilités d'évolution d'un système communiste étaient limitées. Or, en la matière, il ne manque pas aujourd'hui non plus d'esprits crédules qui prennent leurs désirs pour des réalités. Ni Hua ni Teng ne sont des « libéraux », ce sont des fonctionnaires d'un parti totalitaire qui, au gré des circonstances, choisiront telle ou telle politique intérieure et extérieure en puisant dans un registre plus riche qu'on ne le croit généralement. On ne pourra parler sérieusement de démocratie en Chine que le jour où le parti cessera de revendiquer et d'exercer le monopole du pouvoir, en particulier lorsqu'il admettra le pluralisme en matière idéologique et la libre création artistique. Tant qu'un appareil hiérarchisé prétendra, au nom d'une pensée unique, confondre en un seul système l'économique, le social, le politique et le culturel, nous serons en face d'une société asservie. Certes, il n'est pas indifférent que des hommes soient réhabilités en grand nombre, mais il faut se garder d'en créditer les tenants du pouvoir, tant qu'on ne peut, par exemple, connaître le chiffre réel des prisonniers politiques. Il est bon que le classement des Chinois en catégories « rouges » et « noires » soit dévalué mais, tant qu'il n'est pas aboli, on ne doit adresser aucune louange aux maîtres de l'État qui l'a établi. Il est bon que certains, injustement condamnés, sortent de prison, mais si d'autres, gauchistes ou liés à tel ou tel « réseau fractionnel », doivent prendre leur place, si le système des camps de travail et de la réforme par le travail manuel n'est pas aboli, on doit se garder de donner quitus aux chefs du pays[4]. Il est bon qu'on élargisse et qu'on réhabilite, que de grands écrivains sortent de l'ombre, mais n'oublions pas les dissidents chinois, tous les dissidents chinois. Il faut que soient libérés tous ceux dont le « crime » n'était pas d'appartenir à tel clan, vaincu un jour, vainqueur un autre, mais de s'être dressés contre le système lui-même : contre le parti et ses dignitaires : les Li Yi-zhe, les Yang Si-kouang, et bien d'autres[5].

Le respect de la personne humaine et de sa libre expression va bien au-delà des épisodes conjoncturels et des phases transitoires de la lutte des cliques et des camarillas; il est indivisible, il exclut toute confiance même mesurée en des régimes douteux et en des dirigeants trop habitués depuis toujours à considérer le parti comme une fin et non comme un moyen.

---

4. Voir Amnesty International, *op. cit.*
5. Voir Annexe, p. 285. Pour Yang Si-kouang voir p. 127.

ANNEXE DE LA POSTFACE

A.

Le nouveau cours politique, entamé avec l'avènement de Hua Kouo-feng puis le retour de Teng Siao-ping, a été l'occasion de redresser quelques injustices et de corriger les effets des répressions exercées les années précédentes.

Les « quatre », avant d'être persécutés, furent de zélés persécuteurs et l'on ne compte plus leurs adversaires emprisonnés. *Le Quotidien du peuple* du 17 juillet a annoncé la libération d'un jeune Cantonnais, Tchouang Sin-lin, qui en 1976 avait écrit un journal pour dénoncer Kiang Tsing et Yao Wen-yuan. Mais que penser alors de l'exécution, le 18 février 1978, dans cette même ville de Canton, de l'instituteur Ho Tchouen-shi qui avait commis le « crime » de rédiger et diffuser une brochure « contre-révolutionnaire » de plus de 200 000 caractères (*sic*) [1] ?

Bien d'autres libérations spectaculaires ont été annoncées, ainsi celle du gendre du maréchal Yeh Kien-ying, le célèbre pianiste Liou Chi-kiun qui fut incarcéré pendant sept ans.

Notons en passant qu'on continue à accuser les « quatre » de méfaits commis en 1968 et 1969, alors qu'ils

---

1. Chronique de juillet d'Amnesty International. Voir également note 4, page précédente. La photo de l'affiche murale annonçant cette condamnation à mort figure dans la brochure citée.

n'avaient pas à l'époque de responsabilités décisives. A Changhaï où ils étaient influents, on prenait même plutôt le contre-pied de ce que faisait Lin Piao. En fait, on laisse dans l'ombre l'affaire Lin Piao et on se sert du quarteron comme bouc émissaire.

Le texte suivant en donne un exemple, son titre montre que les exactions datent de 1969. Celles-ci sont l'œuvre du maréchal et le fruit de sa campagne d'« épuration des rangs de classe » et de chasse aux « débris du Kouomintang ». Certes, les « quatre » ne seraient pas indignes de la responsabilité qu'on leur fait porter, mais ici cela ne correspond pas à la réalité historique. Dans ces conditions, on peut se demander si le peu sympathique Chan Kouei-tchang n'est pas accusé d'avoir servi les Japonais avec aussi peu de preuves que lui-même en apportait pour persécuter ses victimes.

———

« Redressement d'une injustice de neuf ans »

« En jetant un coup d'œil sur un cas d'« espions » de l'Institut de recherche sur les appareils optiques de précision de Tchangtchouen (province du Kirin), on peut découvrir comment la bande des quatre et ses partisans ont fabriqué des accusations et pratiqué une dictature fasciste dans tous les lieux qu'ils contrôlaient.

Établi peu après la fondation de la Chine nouvelle par l'académie des Sciences de Chine, cet institut est un organe de recherche bien équipé disposant d'un puissant contingent de techniciens. Il a contribué aux recherches optiques de notre pays, en particulier dans la technique du laser, et au développement de notre édification économique, de notre défense nationale, de nos sciences et de nos techniques.

Alors que les quatre dictaient partout leur loi, cet établissement a été considéré comme un repaire d'« espions ». Le pouvoir du parti et de l'administration de l'institut a alors été usurpé par Chan Kouei-tchang, agent des quatre et homme de confiance d'un ancien responsable principal du comité provincial du parti. Poussé et soutenu par ce dernier, Chan a organisé une battue d' « espions ». A un moment, le nombre des victimes a atteint 166 personnes, dont la plupart étaient des hommes de science et des techniciens, des travailleurs du parti, des ouvriers et même des jardinières d'enfants. Les accusations étaient tout à fait extravagantes : leurs cartes de membre de l'Association scientifique et technique étaient qualifiées de cartes d' « identité d'espions », leurs postes de radio et leurs appareils photographiques, considérés comme « équipement d'espionnage », leurs épargnes, comme « fonds d'opération », et leurs voyages à l'étranger, comme « activités d'espionnage ». Certains furent torturés et battus à mort, et d'autres se suicidèrent.

Les menées fascistes de Chan suscitaient l'indignation du personnel de l'institut, qui lui a demandé d'agir conformément aux mesures politiques du parti. Mais Chan a usé de représailles sous divers prétextes. Quelque 100 personnes de plus, dont le célèbre spécialiste de l'optique, le professeur Wang Ta-heng, ont subi de longues critiques et d'autres formes de persécution.

Enfin, la bande des quatre et l'ancien responsable principal du comité provincial du parti tombèrent. Conformément aux directives du Comité central du parti, un groupe de travail s'est rendu à l'institut pour y faire une enquête. Récemment, il a conclu que ce cas d' « espions » était purement inventé. Les 166 victimes, qualifiées d'espions ou mises au secret comme espions il y a neuf ans, ont toutes été réhabilitées. Et des dispositions ont été prises pour leur travail. Ceux qui sont devenus impotents ont reçu des soins médicaux. On a organisé des cérémonies à la mémoire des disparus, et donné à leurs proches des pensions ou des postes de travail. Enfin, il a été prouvé que Chan Kouei-tchang (l'ancien responsable principal du comité provincial du parti l'avait promu chef du bureau des sciences et des techniques de la province), qui a directement manigancé cette injustice, avait servi les agresseurs japonais et les traîtres à la nation pendant la guerre de Résistance contre le Japon. Il avait toujours caché ce fait à l'organisation du parti. Le tribunal le condamnera sévèrement selon la loi. »

(Source : *Pékin Information,* n° 19, 15 mai 1978.)

B.

D'autres dissidents n'ont jamais été libérés, tel Li Cheng-tien, l'auteur d'un célèbre journal mural affiché à Canton, qui réclamait le renforcement de la légalité socialiste et le respect des droits de l'homme. Avec deux autres Gardes rouges, ils usèrent du pseudonyme collectif : Li Yi-zhe pour écrire un placard qui allait bien au-delà de la critique de Lin Piao, et ils furent arrêtés. En utilisant le terme de « système », *jixi,* ils s'écartaient des vues orthodoxes selon lesquelles Lin aurait été un comploteur extrêmement isolé. Notons qu'en employant le mot de « système » à propos des « quatre » dans son discours du 2 juin sur le travail politique dans l'armée, Teng Siao-ping semble faire un clin d'œil à ceux, sans doute nombreux aujourd'hui, qui pensent comme Li Cheng-tien.

« A propos du système Lin Piao, nous disons encore que son programme théorique et idéologique se réduisait à « les génies font l'histoire ». Pourquoi? Annoncer la venue d'un génie tous les cent ou mille ans, prôner la fidélité absolue à ce génie et lui rendre un culte sans bornes, se soumettre aveuglément à ses désirs, écraser quiconque s'oppose à lui, voilà bien une conception du monde politique et idéolo-gique achevée. En interdisant toute pensée, toute recherche, toute enquête, toute question sur tout problème, la théorie

du génie a pratiquement supprimé 800 millions de cerveaux.

A présent, les choses sont claires : à partir de la théorie
du génie, ils ont fabriqué tout un « système » des rites, un
cérémonial pour le temps présent. C'est précisément avec
ces rites qu'ils ont gouverné le parti, l'État, l'armée, et cela
a conduit inévitablement à faire du PCC une caricature du
vieux système impérial avec son souverain-père absolu; à
faire de la Chine un État social-fasciste... ».

C. *En finira-t-on jamais de dénombrer les victimes des
répressions qui se sont succédé au cours de la décennie?*

En décembre 1965 parut en Chine populaire un roman
intitulé *le Chant de Ouyang Hai*. Il retraçait la vie et la
mort d'un héros de l'Armée populaire de libération qui
s'était sacrifié pour sauver un train de voyageurs. Ce livre
était très caractéristique des courants idéologiques de
l'époque, qu'inspirait la Révolution culturelle. Le premier
tirage fut rapidement épuisé et les maisons d'édition
chinoises durent en imprimer cinq millions d'exemplaires
supplémentaires. Il fut également traduit en français et en
anglais et diffusé à l'étranger. Son auteur, Kin King-mai,
membre du parti communiste, avait alors trente-six ans. Né
à Nankin, il appartenait lui aussi à l'Armée populaire de
libération, plus exactement à l'un de ses groupes culturels,
où son physique de jeune premier et ses dons artistiques lui
avaient valu une certaine notoriété. Plus tard, Kin devint
scénariste et entreprit de rédiger son roman. Le ministre
des Affaires étrangères de l'époque, Tchen Yi, en fit grand
éloge : « C'est une belle œuvre décrivant l'ère socialiste,
écrite par un écrivain qui a été formé par le parti
communiste chinois depuis la fondation de la République
populaire. »

En 1966 et en 1967, Kin King-mai se lança dans les luttes
et les débats de la Révolution culturelle. Il y participait en

faisant des conférences dans tout le pays sur le roman et la littérature révolutionnaires. Il semblerait qu'il ait eu des liens avec des groupes d'extrême gauche, telle la faction du Drapeau rouge de Wu Chuan-pi à Canton et des idéologues radicaux tels que Wang Li et Kouang Feng, membres du groupe chargé de la Révolution culturelle[2].

A l'été de 1967, la situation en Chine devint chaotique. L'exacerbation des luttes factionnelles plongea nombre de provinces dans la violence. Mao Tsé-toung désavoua alors son aile gauche. Le groupe chargé de la Révolution culturelle fut épuré. Wang Li et Kouang Feng furent arrêtés ainsi que nombre de militants et accusés de complot contre-révolutionnaire. Or, aucun procès n'eut jamais lieu et aucune preuve ne fut jamais présentée.

C'est sans preuve également que Kin King-mai fut accusé de faire partie d'un groupe de conjurés appelé le Corps d'armée du 16 mai. Il fut arrêté à Canton en août 1967. La diffusion du *Chant de Ouyang Hai* en chinois et en langues étrangères cessa immédiatement. Dix ans plus tard, nul n'a jamais eu de nouvelles de Kin King-mai. Voilà un écrivain qui fut porté au pinacle comme révolutionnaire puis stigmatisé ensuite comme contre-révolutionnaire, réduit au silence et privé de liberté.

Cet homme, comme nombre de ses compatriotes de sa génération, n'a eu qu'un tort : celui de croire aux vertus révolutionnaires du régime sous lequel il avait grandi et de ne pas se méfier suffisamment.

Cet homme, s'il vit encore, doit se sentir bien seul.

2. Ce groupe, désigné par Mao, dirigeait de facto la Révolution culturelle.

TABLE DES MATIÈRES

Imprimé en France
FROC021714280520
24119FR00025B/487